データ管理は私たちを幸福にするか？

自己追跡《セルフトラッキング》の倫理学

堀内進之介

光文社新書

まえがき

本書は、さまざまな事柄を測量するセンシングという技術と、それによって新たな洞察と解決策を生み出そうとするトラッキングという実践を論じたものである。

こうしたテーマを扱う場合、大抵は、ヘルスケアを始めとした自分自身の状態や行動をトラッキングする個人的な実践、いわゆる「セルフトラッキング」に焦点が当てられる。そこでは、セルフトラッキングは自分の健康管理や作業の効率化を図るライフハックの一環という位置づけだ。つまり、巧く生きることを目的とする、良くて個人主義的、悪くすれば利己的な実践と見なされている。確かに、カロリー、心拍数、血圧、睡眠などの健康面での管理や、タスク、作業時間、集中力、やる気といった業務面での管理を可能にするアプリの大半は、個人を対象にしたものである。

しかし本書では、セルフトラッキングを単に個人主義的ないし利己的な実践として捉えるのではなく、他者にも、そして社会にも裨益《ひえき》するという意味で、関係主義的で利他的な実践として別様に理解してみようと提案する。巧く生きるだけではなく、善く生きるための方法の一つとして捉え直そうというのである。

その理由の一つは、私たちの誰もが社会の中に生まれてくるゆえに、社会の中に埋め込まれていることにある。社会科学が教えるのは、意識するか否かにかかわらず、私たちは常に周囲に影響を与え、同時に周囲からも影響を与えられているという事実である。孤独に生きる者でさえ、周囲と完全に切れることはないのだ。

事実、健康でありたい、という自分の願いは、健康であってもらいたい、という他者の想いと無縁ではない。家庭や学校や職場でタスクを効率的に処理するのは、自分だけではなく、組織にとっても望ましいことである。これは反対も然《しか》りで、健康を損なうことやタスクの不効率な処理は、自分のみならず、周囲にも少なからず影響する。これらの事実だけをとっても、個人的な事柄が実際には個人に閉じていないことが分かるだろう。そうであれば、セルフトラッキングという実践も、個人主義的なものではなく、関係主義的に理解すべきことが分かるのではないだろうか。

このように理解すれば、セルフトラッキングを試みる目的も、実践者の意図には必ずしも還元されない広がりを持つことになる。むしろこの広がりに注目することこそ、この試みの意義を正しく理解する仕方であると思うのだ。というのも、セルフトラッキングには、個人的な課題に対してだけではなく、山積する社会的な問題に対しても、解決策の一つとなる可能性があるからだ。それゆえに、私たちにはその可能性に向けて、この実践を水路づけていくことこそが望まれる。本書では、これらを示すために多くの紙幅が割かれている。

要するに、本書ではセルフトラッキングという言葉は、自分を追跡するという「目的」を示すものではなく、私の、私とあなたの、そして私たちの問題を解決する、そのための「方法」を示す言葉として位置づけられているのだ。

こう言うと、もしかしたら、読者の中には自分のことに精一杯なので、他者や社会の問題にはあまり関心を持てず、したがって本書には興味がない、という人がいるかもしれない。

ちょっと待ってほしい。そう考えて本書を手放すのはもう少しだけ待ってほしい。なぜなら、本書はまさにその考えを共有し、前提にし、共感してもいるからだ。率直に、正直に言って、私も自分のことで手一杯だ。自分の素行を顧みること、他者を思いやること、社会的な課題に取り組むこと、そのどれにも労を惜しまず取り組むこと。これら、どれ一つをとっても満足には「できない」でいる。しかし、その意義や価値は十分に「分かっている」のだ。だから、お偉方のご高説はもう十分だ。読者の多くもきっとそう思っているのではないだろうか。したがって、「もっと社会に関心を持て」などと、説教を垂れるつもりは端《はな》からない。私たちは分かっていてもできないゆえに、本当に「ダメ」である。本書を読み進めれば、それがしみじみと実感されると思う。そして、それゆえに、越えられそうにも、迂回《うかい》できそうにもないハードルに一人で挑む必要などない、という本書の趣旨も腑に落ちるはずだ。

本書はハードルを前に、立ちすくみ、立ち止まるよりは、踏み台という補助具を用いて悠々と越えて行こうと呼びかけ、その方法を提示しようというだけである。だから、本書は説教でないのみならず、自分自身にもっと傾注するための自己啓発ですらない。

自分の「ダメさ」を赤裸々に告白すれば、私は社会的・公共的な事柄に取り組み切れないだけでなく、自分の社会的なステータスを押し上げる意欲さえ持てないでいる。そんな自分の中には、社会的・公共的な事柄に一生懸命な人、自分の成功に向けて邁進《まいしん》する人、そのどちらに対しても「スゲー」と思う自分と、「ウザッ」と思う自分が仲良く同居中だ。

そんなわけで、本書は自分でもできないだろうことを、読者に薦めようとはしていない。むしろ何があれば「でき」、何が使えそうか、その知見を共有したいだけなのだ。本書はこう言ってよければ、私自身のために、また、私と同様にダメな私たちのために、そして、とりわけ私たちに説教したがる反省を促す専門家のために、ハードルの前に踏み台を置くことの意義と、その正当化の仕方を提示しようとするものなのだ。だから本書には、新書には珍しく文献註を可能な限り付けることにした。それがあれば、本書を踏み台に議論もしやすくなるだろうから。その目論見が幾ばくかでも成就したなら、楽をしようとすることはズルでも、安易でも、疚《やま》しいことでもなく、至って真面目な関心だと理解されるようになるのではないだろうか。

　このように期待するのもそれなりの根拠がある。本書を上梓した理由もそれと関わる。その根拠とは、私たちの「ダメさ」を正面から議論する研究に厚みが増し、その「ダメさ」を真剣に受け止めて、科学技術を用いてどうにかそれを改善・補完しようという、さまざまな思想や実践がすでに現れていることである（セルフトラッキングはその一つだ）。それらに共通するのは、人間が主体的に科学技術を道具として使う、という発想を持たないことだ。それらはむしろ、人間と科学技術を並列に置き、相補的なものとして理解しようとする。私は、このような考え方に大変魅力を感じる。決して成就しない闇雲《やみくも》な努力を、大いに期待できる堅実なそれに変える、大きな可能性を秘めているように思えるからだ。

　研究という道に迷い込んでこの方、ずっと念頭にあった「説教（人文しぐさ）には飽きた」という思いを、先の考え方に出会ったことで、ケリをつけることができるように思えている。それだから、科学技術による人間の補完という研究テーマには心が躍る。本書は、その研究関心を基にした一つの報告だ。


　この報告の構成は、次のようになっている。

　すなわち本書は、私たちの「ダメさ」の確認を導入として（第1章）、自分自身の「ダメさ」を管理・改善するセルフトラッキングの隆盛を説明し（第2章）、それが「定量化される自己（QS）」と呼ばれるのに対して、いまやそれが対他関係における「ダメさ」を管理・改善する「定量化される関係性（QR）」にまで拡大していることを指摘している（第3章）。そして、「QS」「QR」に対する批判や懸念を取り上げ、隈なく検討した上で（第4章）、その批判や懸念の問題点を反論という形で示している（第5章）。この反論を念頭に、セルフトラッキングの意義や正当化の仕方を、人間と科学技術との相補性という観点から論じ（第6章）、改めて本書のテーマにおける私のスタンスについて説明している（最終章）。

本書を読み進めれば分かるように、セルフトラッキング・ムーヴメントの広がりと、その批判や懸念との間には大きな乖離《かいり》がある。その批判や懸念の中には、私たちの「ダメさ」を甘く見ていたり、視野狭窄《きょうさく》であったりするものも確かにあるし、結局のところ、何を理想としているのかが不明であったり、理想をどう実現し、いかに正当化するのかも判然としないものがある。説教（人文しぐさ）には飽きたし、もう十分だと感じる理由は、おそらくここにあるのだと思う。しかし、批判や懸念がすべて頭でっかちというわけでは、もちろんない。傾聴に値するものがあり、真剣に考慮すべきものも当然ある。それらは、反論される対象なのではなく、積極的に取り込まれるべきものだ。したがって本書では、それらは技術を利用するに際して従うべき「ガイドライン」として活用しようと提案する。

　本書は、セルフトラッキングという実践の描写を通じて、そこに浮かび上がる懸念をかき集め、腑分けし、そうすることでこの実践が、実践者の意図を超えた可能性を秘めることを示そうとしている。私たちはできることしか「できない」。この当たり前のことは、しかし、意外に理解されてはいない。そして、できないことさえ「できる」道筋も、意外なほど考察されていないように思う。本書がせめて、それらにフラグを立てる役割を果たせたなら、著者としては望外の喜びである。

データ管理は私たちを幸福にするか？

目次

第1章

「分かる」と「できる」の間の深い溝

「One for all, All for one」。

この言葉は、フランスの小説「三銃士」の中で、主人公のダルタニヤンと三銃士との誓いの言葉として登場する。しかし若い読者には、ラグビーや企業などにおけるチームプレーの精神を表す言葉としての方が、より馴染みがあるかもしれない。

あるいは、漫画『僕のヒーローアカデミア』に登場する二つの個性（能力）として、この言葉に触れた読者もいるかもしれない。この漫画では、「One for all」と「All for one」は対立する個性（能力）として描かれている。けれども、この言葉はそもそも「私はみんなのために存在し、みんなは私のために存在する」という、共済・保険の理念（相互扶助の精神）を表す標語でもあるように、対立よりも協調を表すものである。

政治的に右であれ左であれ、この標語の理念が社会の理想であるという考えに、あえて反対する者はいないだろう。実際、「私」と「みんな」は日常生活の至る所で協調を求められている。しかし、この理念の重要性を理解しても、現実の私たちは「みんな」のためどころか、「自分」のためにすら力を発揮できないでいる。これは本書が立脚する基礎的な認識だ。

そこで本章では、次章以降のための補助線として「分かる」と「できる」の間の深い溝を、つまり私たちがどれほど「自制心」を欠いているかを、あえて直視してみようと思う。

「私たち」の問題――One for all, All for one

「簡単すぎる人生に、生きる価値などない」。

古代ギリシアの哲学者ソクラテスはそう言っている。古来、苦難こそが私たちの人となりを磨くのだと、賢人はみなそう説いている。彼らがそのように言うのだから、きっとそうなのだろう。しかしながら、それも健康あってのことではないのか。「身体が資本」と言われる競争社会にあって、あるいは超高齢社会にあって、こう思う人は少なからずいるはずだ。賢人たちとは違って、私たちには「健康」は、魂の幸福よりも価値あるものなのだ。

健康には紛れもなく価値がある。私たちは確かにそう考えている。にもかかわらず、私たちは、どういうわけか「人生を危険にさらせ！」という、ニーチェの格言を地で行くかのように自ら死地に赴《おもむ》こうとする。そして、それにより他者までをも危険にさらしてしまう。

新型コロナウイルスによるパンデミックは、それが一層明瞭になる出来事だった。

感染症対策の一環として外出制限を法的に課した国もあったが、日本のように外出自粛を呼び掛ける国も少なくなかった。「不要不急の外出自粛」「ＮＯ三密」「ＳＴＡＹ　ＨＯＭＥ」など、さまざまなキャッチコピーが世に溢れた。その中でもニュージーランド警察による

ニュージーランド警察のメッセージ
（公式Twitterより）

「史上初、テレビの前で寝ているだけで人類を救える。何もするな、しくじるな」という呼び掛けは、私たちの常日頃の自堕落さと、個人的な問題だと思われがちな健康が、実は社会全体の問題に直結しているという事実を端的に表現した点で、どの呼び掛けよりも秀逸だった。あなたの自堕落な引き籠りがあなた自身と他者を救うときが来た、というメッセージは、積極的な関与や行動を必要とする多くの問題があると知りながら、一向にそうしようとはしない私たちにとっては、これ以上ない皮肉でもあったろう。

しかしこれとて、自他のために引き籠っていることでさえ、私たちには荷が重すぎた。実際、いくつかのデータは、私たちがパンデミックにおいてすら自制心を発揮・維持することができなかったことを示している。

その一つに、「COVID-19コミュニティモビリティレポート」がある。これは、Googleが、Googleマップから取得した匿名の移動データを基に、食料品店や娯楽施設、職場や公園、住居といった「場所」に、どの程度人が集まったかをデータ化したものだ。このレポートでは、二〇二〇年一月三日から二月六日の５週間の中央値を基準値として、パンデミック前後での人出の変化を比較している。

それによれば、第一回目の緊急事態宣言が発令された二〇二〇年四月七日から五月二五日の東京都の人出は、「職場」では40％減、「小売店と娯楽施設」・「公共交通機関」では約60％減だった。しかし、その約一年後となる二〇二一年五月六日から六月一七日のデータでは、「職場」では22％減、「小売店と娯楽施設」では27％減、「公共交通機関」では31％減になっている。外出自粛の割合は一年ほどで緊急事態宣言の発令時点のおよそ半分になってしまったわけだ。この間に事態が好転したなら半減も頷けるが、実際には暗転したのだから、この半減は事態の変化によっては説明できない。では、何が外出自粛を半減させたのか。

その答えの一つは、「第3回　新型コロナウイルス感染症の影響下における生活意識・行動の変化に関する調査」に見ることができる。この調査は、内閣府が二〇二一年四月三〇日から五月一一日の期間に、のべ１万１２８人を対象に行ったもので、それには私たちの七割以上が外出自粛に「疲れ」を感じるようになったことが示されている（「感じる（33・7％）」と「やや感じる（37・9％）」の合計71・6％）。特に外出機会が多い若者は「自粛疲れ」や「コロナ疲れ」を感じたようだが、このような「疲れ」と表現されたものこそ、半減の主たる要因だと考えられるのだ。

なるほど、じっと耐えるにも限界がある。その意味では、これを単に「自制心の欠如」というのは厳しすぎるかもしれない。やりたいことをやらないように我慢するのは確かにつらい。では、やりたいわけではないが、やるべきことについてはどうだろう。その点では、私たちは「分かる」と「できる」を一致させられたのだろうか。残念ながら、統計データを見る限り、そこでも私たちは落ちこぼれたようである。

この統計データというのは、新型コロナウイルスの感染拡大防止を目的として、二〇二〇年六月に政府が導入した、接触確認アプリ「COCOA」の利用状況に関するものだ。この説明に先立って仕組みについて少しだけ解説しておこう。

まず「COCOA」をスマホにインストールする。すると、そのスマホは一メートル以内で一五分以上接触した可能性のある、他の「COCOA」インストール済みスマホを検知し、接触の履歴を収集（トラッキング）するようになる。これは自動的に行われるので利用者に負担はない。利用者に負担が発生するのは、検査で陽性だと判明したときだ。「COCOA」の利用者は陽性であると分かったら、それを「COCOA」に登録する必要があるのだ。そうすると、そのスマホに記録されている、十四日以内に濃厚接触した他のスマホに通知が届き、検査受診などが案内されるのである。

陽性の登録は強制ではない。しかし、更なる感染拡大を防止する目的があるので、「COCOA」の利用者にとっては、登録は公衆衛生上の義務を果たすことを意味する。実は「COCOA」のインストール自体がその義務の一環ともいえるのだが、統計データによると、導入一年後の二〇二一年六月十八日時点でも、ダウンロード実績は約２８３４万件で、陽性登録者は１万７１０５件に過ぎなかった。当時の国内累計感染者は78万人だったことに照らすと、「COCOA」はたった２%しか実態を把握していなかったことになる。

「COCOA」はシステムトラブル等が相次ぎ、技術に関する批判も多く、政府への不信もあるなど導入当初から問題含みだったので、「COCOA」のインストール率が低いことは理解できる。しかし、「COCOA」の利用者に限っても、陽性登録者が少ないことからして、「One for all, All for one」の精神を体現した者は極めて少数だったといえるように思う。

先述の通り、外出自粛は自分のためだけではなく、他者のためにも、そして地域の医療体制をはじめ社会全体のためにもなると、私たちは分かっていたはずだ。「COCOA」の利用や陽性登録にも同様の意味があると知っていた人も少なからずいただろう。にもかかわらず、データを見る限り、私たちは「分かっていた」ことを「できてはいない」のだ。

「私」の問題――善と知っても行わず

私たちは、みんなのために（あるいは社会のために）行動するのが苦手だ。その意義は「分かって」も「できない」ことが多いのである。では、自分自身のためならどうだろう。積極的に行動できるだろうか。その答えは読者自身がよく分かっているはずだ。そう、私たちには、それすらも難しいのだ。実際、それを示すいくつかの証拠がある。

二〇二〇年八月に行われた日経BPコンサルティングによる調査では、健康上で気になる点の第一位は「コロナ感染（49・6％）」で、「運動不足／体力の低下（40・6％）」「目の疲れ／視力の低下（35・5％）」「肥満（34・3％）」がそれに続くという結果だった。コロナ禍で在宅時間が長くなったことで、普段にも増して運動不足や肥満が気になるようになったのだろう。実際、私もそうである。

パンデミック下では身体面だけでなく、精神面の健康も気にする人が増え、ストレスコントロールに関する書籍や、瞑想で精神を整える「マインドフルネスアプリ」にも注目が集まっている。マインドフルネス瞑想アプリの市場調査によると、二〇二〇年にはこの種のアプリに全世界で約4億1１0万ドル（約４８０億円）が費やされたが、二〇二七年までには64

億7850万ドル（約7774億円）に達すると見込まれている。[1]

　経済産業省によるとヘルスケア産業の国内市場規模は、二〇二五年には33兆円になると推計されており、五年で三割増しになっているという。この背景には、少子高齢化に伴う公的医療保険や社会保障費の増加を抑制するために、公的保険外の健康関連サービスを充実させることで、病気の予防、健康増進に取り組むように国民を誘導しようという、政府の思惑もあるようだ。

　このような政府の思惑や「市場の拡大」が、本当に私たちの「健康の増進」に繋がるなら、多少の出費も致し方ないかもしれない。しかし実際には、これらはあまり繋がっていないようなのだ。というのも、厚生労働省の「国民健康・栄養調査報告」（二〇一九年）によれば、20歳以上の肥満者（BMI≧25kg/m^2）の割合は男性33・0％、女性22・3％であり、ここ十年で大きな変化は見られないからである。ちなみに、男性では40代が39・7％と最も高く、次いで50代が39・2％。女性は高年齢層で肥満者の割合が高くなり、60代で28・1％と最も高くなっている。[2]

　このように、全体の三割近くが現に肥満と診断されているのだが、予備軍も含めると、特に中年以降では過半数が「問題あり」になる有様なのだ。運動不足や肥満を気にしている人が多いことは、先のデータが示す通りだ。これら二つのデータは単純な比較を許すものではないが、私たち自身の経験に照らして次のように結論するのは妥当だろう。つまり、私たちはダイエットや節制の必要を「分かって」いながら、実際に行動し、生活習慣を変えることが「できない」でいるのだ、と。

もしかしたら、コロナ疲れと同じく「健康管理疲れ」もあるのかもしれない。けれども、自戒を込めて言えば、そもそも管理など端からしていないか、したとしても継続できていないことの方が多いように思う。読者はどうだろうか。ダイエットの必要性を感じても、「明日からやろう」と毎日思ってはいないだろうか。あるいは「今日は上司に誘われたのだから、食べすぎたのは仕方ない」などと、他者の所為《せい》にしてやり過ごしてはいないだろうか。

これらは、「分かって」いながら「できない」でいることを無理に正当化する、「自己欺《ぎ》瞞《まん》」と呼ばれる自分自身への言い訳だ。後述するように、私たちは自分自身への言い訳がとても得意なので、いつまでたっても「できる」ようにはならないのだ。

「私とあなた」の問題——悪と知りつつやめられない

こうした失敗も、「三日坊主」と笑って済ませる場合もあるだろう。しかし、例えば自分の不摂生が結果的に家族を不幸にするなら、話は別だ。とはいえ、どんなに気遣って暮らしても病に倒れることがある。健康に人一倍気を付けている人が大病になり、杜撰《ずさん》な生活を送る人が長生きすることも珍しくはない。私たちは、環境的な要因と遺伝的な要因の両方の影響下にあるので、これをすれば健康になり、あれをすれば病気になるとは、一概には言えないのである。

しかし、だからといって、無碍《むげ》に過ごせば良いと結論するわけにもいかない。「確実」はないが「確率」はあるのだから、できる限り、やれる限り、気遣って暮らすに越したことはない。それは自分のためになるだけではなく、実は家族のためにもなるのだ。

こう言うと「家族に迷惑をかけるな」ということか、と誤解する人がいるかもしれない。だが、そうではない。先述の通り、気遣って暮らしても病むことはあるのだから、頼り頼られるのは自然なことだ。誰かを頼り、また頼られる存在であること以上に、人間らしいこともないように思う。読み進めれば分かる通り、これは本書にとっても重要な命題だ。

気遣った暮らしが「家族のためにもなる」のは、家族に何か起きたとき、家族を助けられるからだけではない。これにはもっとポジティブな意味もある。例えば、既婚者は未婚者に比べて健康で長生きする場合が多いのだが、それは既婚者の方が、定期検診等の予防的医療を受ける比率が高いためだ。[3]

家族や配偶者、パートナーの存在が、気遣って暮らすための自制心を長続きさせる、そういえるかもしれない。しかし、誤解の無いように言えば、そうした人たちが単に「いる」だけではダメなのだ。というのも、ある研究は配偶者やパートナーからの批判が、年齢、性別、教育、健康の自己評価、および薬物使用よりも、死亡リスクを高めることを明らかにしているからである。[4] つまり、家族や配偶者、パートナーを持つだけではなく、関係を良好に保つことも、お互いの健康には不可欠なのだ。繰り返すと、互いの関係の「健全性」を損なうことは、めぐりめぐって両者の「健康」を損なうことにもなるのだ。

配偶者やパートナーのいる読者、特に男性には、誠にお節介だがこの点を念頭に関係を見直すことをお勧めしたい。そう言うのも、夫婦関係の実態は、これまたデータを見る限り決してバラ色とはいえないからだ。

ここに不倫に関する、興味深い調査がある。コンドームの製造で有名な相模ゴム工業株式会社が二〇一八年に行った調査だ。この調査には、結婚相手・交際相手以外での性交渉（つまり不倫と浮気）に関する設問がある。それによれば、結婚相手・交際相手以外の人と性交渉をする相手がいる（特定の人や複数人などの合計）と答えた人は、男性で平均26・4％、女性で平均15・2%であった。[5] また、ある記事によれば、いくつかの調査を複合的に分析すると、一生のうちの不倫経験率は、男性が74・0%、女性が29・6%になるという。[6] 配偶者以外との性交渉を不倫と定義すれば、男性の風俗利用率は41・8%というデータもあるので、男性の不倫経験率はもっと高くなるかもしれない。

ことほど左様に、浮気や不倫に関するデータを見る限り、とりわけ男性の自制心は、とても頼りないものだと分かる。進化生物学は、男性のこうした行動には、人間の子孫が首尾よく繁殖するのを促す、生物学的・心理学的な性質が作用していると論じており、[7] 近年の研究では、現代における完全で本格的な一夫一婦制は、ヒトという種のレベルで見た場合には、本来、運用が難しいものである可能性が高いとの見方も示されている。[8]

このような研究は、言わずもがな「不倫」を免責する理由を発見したと主張するものではない。そうではなく、生物学的・心理学的な性質と、私たちの価値観や制度にはギャップがあること、それゆえ、そのギャップを埋める努力や工夫(この点は第4章で論じる)が必要だと示唆しているのである。

進化生物学がこう示唆するのは、結婚はかつて家同士の取り決めとして行われ、そこに個人の意思が介在する余地は少なかったが、いまでは恋愛結婚が主流となっているからでもある。現代に生きる私たちの大半は、自分たちの意思だけに基づいて親密な関係を結ぶことができるし、また、そうであるべきだとも考えているはずだ。親や他人に決められた結婚をする人は少なく、強制された恋愛などは考えにくい。その意味で、お互いの意思が尊重されるようになったのは好ましいことだ。しかし同時に、制度や慣習に縛られていたときよりも、関係が壊れやすくなったことも考慮しておく必要がある。

　実際、いまや離婚は珍しいものではない。厚生労働省の「人口動態統計の年間推計」によれば、二〇一九年の婚姻件数が58万３０００件であったのに対して、離婚件数は21万件であり、すでに相対離婚率は35・０%を超えている。[9]家族社会学の権威であるポール・アマートによれば、世界的な相対的離婚率の推移予測からして、全婚姻の半分が離婚に至るという予測は合理的だというから、[10]日本はまだマシな方かもしれない。もちろん、離婚にはさまざまな要因があるので、離婚を必ずしも否定的に捉える必要はない。けれども、それでも子どもがいる場合には、離婚は可能な限り回避すべきだと示唆する研究は多い。

　一例を挙げれば、親が離婚した子どもを追跡調査した研究は、健全な初婚の夫婦の下にある子どもと比較して、離婚した家庭の子どもは、教育的にも、経済的にも、身体的にも、心理的にも、感情的にも、子どもの幸福度の事実上すべての尺度で困難を強いられることを明らかにしている。[11] それゆえ、アマートはこう指摘している。

子どもたち、つまり親の選択によってこの世に生を受けた子どもたちのために、人生の三分の一を満足のいくものではない結婚生活で費やすことは、決して不合理なことではない。[12]

不倫の割合や離婚率を見る限り、進化生物学やアマートが言うように、私たちはどうにかして生物学的・心理学的な性質を制御する仕方を見つける必要があるようだ。つまり、「私とあなた」の問題を改善する、何か良い方法を見つける必要があるはずだ。この論点は、健康管理に関する「私」の問題、そしてパンデミック下に見られた「私たち」の問題にも当てはまる。

これらすべての問題は無知によるものではない。「分かっていない」のではないのだ。分かっていても「できない」のは、自制できない私たち自身の本性のためである。このような私たちの本性は、近年、生物医科学的なレベルで原因究明が進められている。しかし、「分かる」と「できる」をめぐる問題は、最近になって浮上したのではなく、古代から知られていた。すなわち、古代ギリシア哲学における「アクラシア」がそれである。

新しくて古い問題――「アクラシア」

「アクラシア（akrasia）」とは、古代ギリシア語で「自制心の無さ」や「意志の弱さ」を意味する。古代ギリシアの哲学者アリストテレスの説明に即せば、「ある行為を悪いと知りながらも欲望のために行ってしまう心の傾向」ということになる。

古代ギリシア哲学がこのテーマを扱った背景は、私たち自身が経験しているのと同じもの、つまり「分かる」と「できる」の間にしばしば溝が生じ、それによって問題を抱えることが古代人にもあったからだろう。他の動物と違って理性的で合理的でもあるという人間の想定と、何が自分にとって悪であるかを知りながらそれを回避できない人間の現実は、現代と同じく古代でも、どうにか調停する必要のある問題だったのである。

実際、古代ギリシア哲学、中でもアリストテレスの『ニコマコス倫理学』（第7巻第3章）は、この問題について興味深い議論を展開している。アリストテレスは、『ニコマコス倫理学』に後続する『政治学』のためにも、「アクラシア」の分析は重要だと考えていたようだ。というのも、第1巻第13章の冒頭ではこう指摘しているからだ。

幸福とは、完全な徳に基づく魂のある種の活動である以上、われわれはつぎに徳について考察しなければならない。……のみならず、真の政治家も、何にもまして徳をめぐって腐心してきたように思われる。なぜなら、真の政治家は、市民たちを善き人にし、法に従うように仕向けることを望んでいるからである。

第7巻でも、自制心の無い人は議会も法もあるのにそれを使おうとしないポリスに似ていると述べているから、「アクラシア」はアリストテレスにおいても、単に個人の問題としてだけでなく、「私とあなた」、そして「私たち」の問題でもあったのは間違いない。そこで、本書の議論を進めるためにも、もう少しだけアリストテレスの議論を覗いておこう。

悪いと知りつつもそれを回避できない愚かしさを、本書では「分かる」と「できる」の間に溝が生じると表現した。しかし、それは本当だろうか。つまり私たちが悪を為すとき、私たちは本当にそれを悪だと分かっているのだろうか。もし「分かる」が十分ではないなら、「できる」との間に溝はないかもしれない。できないのは、きちんと分かっていないからかもしれない。言い換えると、十分に分かってさえいれば、悪を避けることができるのではないだろうか。こうした見方は、実は『プロタゴラス』の中にあるソクラテスのものでもある。

ソクラテスは「善と知って行わず、悪と知りつつ行うことはありえない」と主張している。このソクラテスの主張は、私たちの経験とは明らかに矛盾する。しかし、アリストテレスはこの主張（理性主義）を正面から捉えて、「分かる」とは、あるいは「無知」とはどのようなことかを分析することで、アクラシアという難問を解こうとするのだ。

アリストテレスの議論にはいくつかの解釈がある。ここでは、私の腑に落ちた解釈を示しておこう。それは「性急な人」と「弱い人」という、自制心の無い人の内訳を念頭に置くものである（第7巻第7章）。

例えば、健康に悪いものは食べるべきではない、という大前提を有する人の前に、健康に悪いが美味しい食品（ファストフードや甘い菓子等）が置かれたとする。そのとき、欲望に従って性急に行動し、葛藤せずにそれを食べてしまうのが「性急な人」である。そして、食べるか否かの葛藤の中で欲望に負け、「目の前にある食品は健康に悪い」という小前提に意識を向けられなくなることで、結果的に食べてしまうのが「弱い人」だ。

この二人はともに、健康に悪いものはどれも食べるべきではない、という大前提を理解している。しかし、葛藤の有無の違いこそあれ、どちらも欲望のために意識を「これは健康に悪い」という小前提に向けられなくなり、「分かっている」ことを「できなくなる」のだ。

つまり、自制心の無い人とは、欲望によって理性を弱められている人だということになる。

誤解の無いように言えば、アリストテレスのいう「自制心の無い人」、つまり「性急な人」と「弱い人」とは、普段は「でき」、時折「できない」といった程度のムラのある人のことではない。その程度のことは誰にでもある。アリストテレスが「自制心の無い人」というときに念頭に置いているのは、ある種の習慣によって、アクラシアを性格にまでしてしまった人のことである。第7巻第10章で、アリストテレスはこう言っている。

> 友よ、言っておくぞ。習慣とは長い時間をかけた練習であり、そしてまさに、この練習が終には人の自然本性となるのだ。

アリストテレスに即せば、私たちはその悪しき習慣こそ、どうにかしなければいけないのである。しかし、これには希望がある。アリストテレスもこう言っている。

> 習慣によって自制心を無くした人の方が、生まれついた自然的性質によって自制心を持たない人よりも癒しやすい。なぜなら、生まれついた自然を変えることよりも、習慣を変え

ることの方が容易だからである。

本書の主題はまさにこの点にある。セルフトラッキングが、悪しき習慣の改善に貢献するか否か、それを見定めようというのが本書の目的だ。そうしてみると、アクラシアとは「新しくて古い問題」といえるかもしれない。現代社会は、理性による自制を困難にする欲望がそこかしこにあり、また、悪しき習慣が定着しやすい環境も揃っている。しかし、問題の根本は古代と何ら変わりがないのである。

古くて新しい問題——「自己欺瞞」

現代社会にはそれに加えて、「古くて新しい問題」とも言うべき、「自己欺瞞」の問題も横たわっている。先述の通り、ダイエットをすべきなのに、「上司に誘われたから仕方ない」と言い訳をするような、自ら自分の心を欺くことや自己の行為の正当化が、「自己欺瞞」という問題だ。ダイエットについては、アメリカの精神科医で心理学者、行動経済学者でもあるジョージ・エインズリーもこう言っている。

短期の利益はしばしば、ダイエットに対して納得できる例外を主張できるし、その主張を徐々に上げて、明らかなダイエット違反をまったくしなくてもダイエットを無意味なものにしてしまうこともできる。

ダイエットを成功させるには、間食断ちや運動など、成果の見えづらい実践を毎日コツコツと行う必要がある。それは誰もが「分かっている」ので、暴飲暴食（ルール違反）をあからさまにすることはしないのだ。しかし、私たちはしばしば、「上司に媚《こ》びを売っておくのが得策だ」というように、短期の利益に訴えることで例外を認めてしまう。そのときには欲望が理性を弱めているのだが、他方では、自分への言い訳のために理性が活用されてもいる。だからこそ、自己欺瞞はアクラシア以上に厄介な問題なのだ。

自己欺瞞が「古くて新しい問題」だというのは、現代の情報環境がこの問題を助長しているからである。インターネット上には、自己欺瞞を、つまり自分を正当化するための言説が大量に拡散されている。例えば、肥満についても健康に有害だという情報の他に、良い肥満、健康的な肥満というものがあり、それは不健康ではないという言説は容易に見つかる。新型コロナウイルスに関しても、ワクチン接種の効果を示す情報が、政府をはじめとした医療機関などによって発信されている一方で、ワクチンの効果を疑問視する、いわゆる「反ワクチン」に関する情報も、ネット上では大量に見つけることができる。その中にはデマもあれば、根拠のない意見もあるが、私たちは往々にして自分に都合の良い情報・主張を「正しい」と感じてしまう。こうした環境は、自己欺瞞の格好の培地になる。

実際、アメリカでは、新型コロナウイルス感染症対策に抵抗する、いわゆる「反マスク派」や「反ワクチン派」の一部が、ワクチン接種者から未接種の人に、悪影響を与えるたんぱく質が排出されると信じ、一転してソーシャル・ディスタンスやマスクの着用を主張したという事例がある。[13] つまり、もともとソーシャル・ディスタンスに反対する立場の人びとが、ワクチンを疑い、反ワクチンに関する情報を追い求めた結果、それまでと真逆の主張をするようになったのだ。この事例は、科学的知識の有無や情報リテラシーの問題以前に、自己欺瞞をどこまでも補強できてしまう現代のネット環境にこそ、大きな問題があることを示唆している。

以上で見たように、「新しくて古い問題」であるアクラシアと、「古くて新しい問題」である自己欺瞞が相まって、私たちは自分の健康でさえなかなか維持できないでいる。行政も民間も、「ストレスと上手につきあう」ことや「人間関係を豊かにする」ことなど、個人的な対策として何をすべきかを示しているが、そのような対策も実践できる人は僅かだろう。

さらに言えば、社会的・経済的に困窮すると、対策しようにも状況がそれを許さないこともある。例えば、厚生労働省は、健康の維持・増進、生活習慣病の予防などを目的とした「日本人の食事摂取基準」を策定しているが、調査によれば、この基準を満たす傾向にあるのは家計支出が多い人に限られている[14]。家計が食生活にも影響するのは明らかである。

ここからは、健康に過ごす人も、健康に生きることが困難な人も、どちらも「環境要因」に影響を受けていることが読み取れる。環境要因であるからには、その影響を個人だけで対処するのは無理がある。行政も当然それに気づいており、先述したように、公的医療保険や社会保障費の増加を抑制するために、私たちの生活や、もっと具体的な行動レベルへの介入を強めようとしている。

近年、そのような行政的な介入は、私たちの認知や心理に関する科学的な知見を参照するようになっている。それゆえ、このような行政的介入を行う政治は、「神経政治学」、あるいは「ニューロリベラリズム（神経自由主義）」と呼ばれ始めている。

私たちの「ダメさ」に抗して――ニューロリベラリズムとは何か？

ほとんどの読者が初耳であろう「ニューロリベラリズム」は、行動科学と神経科学の知見に基づき私たちの行動を予測することで、それを方向づけたり、強化したり、あるいは規制しようとする方法や、その基礎をなす思想を意味する用語である。

「ナッジ（選択アーキテクチャ）」もその一部だと言えば、ピンと来る人もいるだろう。ナッジは行動経済学の分野で注目された言葉で、肘で軽く小突いて注意を向けさせる、といった意味がある。日本ではナッジは、行動経済学者のリチャード・セイラーと、法学者のキャス・サンスティーンの二人が上梓した『実践　行動経済学』（日本語版の出版は二〇〇九年）を契機に、広く知られることになった。[15]

健康維持に関するナッジの著名な事例に、煙草のパッケージがある。日本では「たばこ事業法」によって、煙草のパッケージには、「喫煙はあなたにとって肺がんの原因の一つになります」といった内容の記載が義務づけられている。海外では、より露骨に肺がんなどの写真がパッケージに掲載されている。[16]写真はグロテスクなものが多く、写真を見て「吸いすぎないようにしよう」という気持ちを起こさせるのが狙いだ。煙草は健康に悪いと分かっていながら止《や》めることができない人に、警告を与えて再考を促そうというわけだ。その意味で、これは悪しき習慣になるのを防止する、「アクラシア」対策といえる。

一方、あまりにも情報が多いと、自分が何をすべきかについて考えすぎてしまうこともある。例えば、ちょっとした身体の不調をきっかけに、その原因についてネットで検索したことのある読者は多いだろう。検索によって表示される情報はさまざまだが、中にはちょっとした不調が大病に繋がる、などと書かれたものもある。もちろん、その情報が正しいかどうかは、医師でもない限り精査することはできない。しかし、このような情報を見る度に不安が増大し、結果的に検索前より体調が悪化した経験のある読者もいるのではないか。このように、制御できないほどの大量の情報は、むしろ私たちを苦しめるのである。

このようなケースや、あるいは都合の良い情報ばかりを選択して自己正当化を行うケース（自己欺瞞）に対しては、情報のシャットアウトが有効な場合がある。

例えば、アメリカの陪審員制度では、評決を前に陪審員は法廷から評議室（陪審員室）へと移動し、最後の議論を行うのだが、評議室の議論が数日にわたるときでも、特にマスメディアを騒がせるような事件の場合には、陪審員は隔離され、外部の情報からも遮断される。このルールは、陪審員に余計なバイアスが生じ、不適切な判断が導かれないようにするためのものだ。意識的であれ無意識的であれ、人は自分に都合の良い情報を求めがちだ、という先の議論を踏まえれば、こうした情報のシャットアウトは適切な対応だといえる。
このような、ニューロリベラリズムの手法が他分野で多くの成果を上げていることもあって、各国の行政機関ではすでに、ニューロリベラリズムの専門チームが発足している。詳細は省くが、例えば、アメリカでは二〇一五年に、当時のオバマ大統領の行政命令として、連邦政府内に社会・行動科学チーム（Social and Behavioral Sciences Team：ＳＢＳＴ）が創設され、行動科学から得られる洞察をさまざまなプログラムに適用する仕事をしている。[17]
また、イギリスでは二〇一〇年に内閣府に行動洞察チーム（Behavioral Insights Team: ＢＩＴ）、別名「ナッジ・ユニット」が創設されている。[18] その後、ＢＩＴは民営化されたが、そこでも行動学や心理学の観点から公共政策への提言を行い、多くの成果を上げている。イギリスでは、スピードの出しすぎを防止するための道路に設置された出っ張り（バンプ）を「スリーピング・ポリス」と呼ぶのだが、これもナッジの代表例の一つだ。
オランダでは二〇一四年、いくつもの規制機関を横断する「行動インサイト・ネットワーク・オランダ（Behavioural Insights Network Netherlands）」が設立されている。[19] 民間の動きも活発で、ユトレヒト大学に二〇〇三年に設立された研究・教育機関「セルフ・レギュレーション・ラボ（Self-Regulation Lab）」を筆頭に、多くの機関が設立されている。[20] 男子トイレの小便器の内側に描かれたハエの絵が、清掃費を八割も減少させたという著名な事例も、オランダでの取り組みだ。これらの機関や行政的な介入政策に対しては、行政権力の増大、国家による市民社会の植民地化といった懸念もないではない。しかし、ニューロリベラリズムはいまや、世界的レベルでも要請されるものになっている。

実際、二〇一五年に世界銀行が発表したレポート『MIND, SOCIETY, AND BEHAVIOR』でも、国際的な政策が失敗する理由は、人間の意思決定や能力の脆弱性に関して、私たちの理解が正確ではないことにあると明記されている。[21] そしてレポートは、「開発政策は、ヒューマン・ファクターを十分に考慮した上で、設計し直さねばならない」とも述べている。ヒューマン・ファクター、つまり人間の脆弱性は、環境破壊、差別問題、民族紛争等、グローバルなレベルの問題にも通底するものだ。そうであれば、世の中の大抵のトラブルの根源は、言ってしまえば、私たちの自制心の無さや自己欺瞞といった「ダメさ」にあるといえる。

このことを念頭に置くなら、ウィンストン・チャーチル（英国元首相）が残した、「過去から学べない者は、過ちを繰り返す」という名言も、事の本質を見誤っているといえるかもしれない。というのも、私たちは過去の失敗を知らないわけでも、そこから何も学んでいないわけでもないからだ。では、なぜ失敗を重ねてしまうのか。それは、分かっていても、それでもなお行動に移すことができない、私たちの性質こそが問題だからである。つまり、問われている点は、チャーチルの指摘以上に根深いところにあるのだ。

ニューロリベラリズムは、この問題に照準している。私たちの考えや行動に期待するのではなく、それを予測し、外部から働きかけることで軌道修正しようというのである。確かに、意図しない何かをしてしまいそうなとき、他者から声をかけてもらうことは重要だ。ただし、現代ではその「他者」が、もはや「人間」であるとは限らない。煙草のパッケージのグロテスクな写真や便器に描かれたハエ、スピード出しすぎを防止するバンプなどは元より、いまではもっと身近なスマホも、そうした役目を担うようになっている。

そこで次章では、このようなデバイスを用いて「ダメな」自分を改善しようという実践、すなわち「定量化された自己（Quantified Self）」を取り上げよう。

第2章　定量化される自己

前章では、自制心の無さ（アクラシア）や自己欺瞞といった私たち自身の「ダメさ」と、行動科学と神経科学の知見を用いてそれを改善しようという試み（ニューロリベラリズム）について見た。本章ではさらに、その試みを掘り下げる目的で、スマホなどに搭載されているトラッキング技術を用いた実践、すなわち「定量化された自己（Quantified Self）」（以下ＱＳ）を取り上げる。そこでまず、スマホに期待される役割に触れつつ、トラッキングの歴史を概観しておこう。

我がサム・ギャムジー――モラルアドバイザーの役割

前章で見たのは、「分かっていてもできない」私たちの姿であった。無論、読者も、これまでにも自分自身の欠点を克服しようと努めてきたと思う。すでに述べたように、私たちはみな、自分のダメさも、やるべきことも分かっているので、野放図に生きているわけではない。それを前提に、改めて自分自身の試行錯誤の歴史を振り返ると、何とか対処できたときには、他者の助けがあったことに気づくのではないだろうか。

哲学者のアラスデア・マッキンタイアは、私たちは多くの苦しみに見舞われる傷つきやすい存在だが、「そうした苦しみにいかに対処しうるかに関して、それは私たち次第であるといえる部分はほんのわずかに過ぎない」のであり、「私たちが生き続け、いわんや開花しうるのは、ほとんどの場合、他者たちのおかげ」であると論じている。[1]私自身の経験に照らしても、これは確かなことに思える。同様の事柄は、多くの文学作品の中にも描かれている。

例えば、巷《ちまた》にあふれる定番の物語の一つに、主人公がさまざまな経験をしながらゴールに向かって突き進み、困難を乗り越え目的を達成し、有徳な存在となる姿を描くものがある。この手の物語の原型は、ドイツの「ビルドゥングス・ロマン（教養小説）」に見られる（そもそもビルドゥングは「自己形成」を意味する）。

ビルドゥングス・ロマンの中でも、特によく知られているのは、ゲーテの『ヴィルヘルム・マイスターの修業時代』（一七九六年）や、トーマス・マン『魔の山』（一九二四年）などの作品だろう。これらの中には、主人公が苦難を乗り越え卓越していく過程で、仲間ともいえる他者から多大な影響を受けるシーンが描かれている。

頼れる他者の存在は、現代のアニメやゲーム作品でも頻繁に描かれている。何を取り上げても良いのだが、ビルドゥングス・ロマンの典型例として、ここでは『ロード・オブ・ザ・リング』を挙げておこう。本作はジョン・ロナルド・ロウエル・トールキン原作『指輪物語』[2]を実写映画化したもので、三部作の累計世界興行収入は29億1000万ドルに達し、

『スター・ウォーズ』や『ゴッドファーザー』三部作を超えて、世界で最も成功した作品となったものだ。

この作品は物語の設定が壮大で、その分魅力的なキャラクターも多く登場する。中でも、主人公フロドの「旅の仲間」となり、フロドの補佐役になった「サム」というキャラクターは魅力的だ。サムは、主人公のフロドが挫《くじ》けそうなとき、「俺に指輪は運べない。でも、あなたを運ぶことならできる！」と、常に隣でフロドを助けた功労者である。旅の目的が頓挫《とんざ》せずに済んだのは、一にも二にもサムのおかげだ。

サムは旅の間中、絶えずフロドを元気づけ、行動を促し、意志を強く持てと励まし続けるのだが、原作者トールキンの伝記によれば、サムのモデルは、第一次世界大戦のとき、通信将校だったトールキンを補佐した徒卒《とそつ》たちだという。実際、トールキンは「我が『サム・ギャムジー』は、実はイギリス兵の、一九一四年の戦争で知った兵たちや従卒たちの、面影を伝えたものである。彼らは私よりずっと立派だと、今でも私は思っている」と語っている[3]。

言うまでもなく、サムや徒卒たちのような存在は掛け替えのないものである。このような人たちが周りにいるなら、もうそれだけで大きな幸福を手に入れたのも同然だ。そして、もし、読者自身が誰かにとってのサムであるなら、それはもっと大きな幸福かもしれない。私たちの人生は、マッキンタイアが言うように、「他者たちのおかげ」といえる部分が少なくない。それゆえ、私たちは、ときにサムを求め、ときにサムになることを求める。人生を常在戦場と考える必要はないにしても、元気づけ、行動を促し、意志を強く保たせてくれる存在は、誰にとっても心強いのは確かだ。

前章の末尾で述べたように、このような存在が、いま人間という枠を超えて登場しようとしている。否、私たちが生み出そうとしているというべきか。私たちにとってのサム、そして私たち自身をサムにするモノを、である。そのモノのイメージは、iPhone（二〇〇七年発売）やAndroid端末（二〇〇八年発売）の登場から間もない、二〇一一年のＣＭに垣間見ることができる。ＮＴＴドコモのＣＭ『ひとりと、ひとつ。walk with you「名刺」篇』がそれだ。

このＣＭでは、擬人化されたスマホ（演じたのは俳優の渡辺謙《わたなべけん》）がまさにサムのように、スマホの所有者に的確な助言を与える様子が描かれている。

ＣＭ中の主人公は新社会人で、スマホ役の渡辺謙は、彼がもらった名刺を名前順や会社別に一瞬で整理してみせる。この部分は、いまやお馴染みのスマホのソート機能の紹介だ。主人公は「おお、すげぇ！」と歓声を上げ、次いで名刺の整理を「偉い人順」に頼むと、渡辺謙は主人公に次のように助言する。

君が言う偉い人とは一体何だ。肩書か、それとも地位のことかな。
肩書で人を並び替える。そんな悲しい整理は私にはできない。名刺に負けるな！

このような、諭《さと》すようにも、元気づけるようにも聞こえる彼の言葉に、主人公は忘れていた何かを思い出すのである。

このＣＭが興味深いのは、スマホを単に指示通りに機能するデバイスとしてだけでなく、ビルドゥングス・ロマンに登場するような、ある種の「モラルアドバイザー（道徳的な助言者）」としてもイメージしていることだ。当時は、あくまでイメージでしかなかったが、しかし、二〇二二年現在、それはかなりの程度現実のものとなっている。

技術による「人間」の補完――社会問題を再自然化する

モラルアドバイザーとして機能する技術は、どのように実現し得るのか。以下では、実際に想定されている技術について、その概要を見てみよう。

モラルアドバイザー機能の基礎は、情報通信・処理技術の発展に伴い、スマホなどのデバイスがネットに常時接続されるようになったことにある。サービスや製品のネットへの常時接続は、ＩｏＴ（Internet of Things：モノのインターネット）と呼ばれる。携帯電話だけではなく、ＩｏＴ化すると家電製品も「スマート」が冠され、「スマート家電」などと呼ばれるのは、読者も知っての通りだ。音声による家電操作や、音声での質疑応答が可能なスマートスピーカー、遠隔操作が可能な防犯カメラ、スマホで調光が可能なスマート電球など、スマート家電はその種類を増やし続けている。

スマホにも搭載されているスマートスピーカーの機能、例えば「Siri」や「Google アシスタント」「Alexa」などは、バーチャルアシスタントや、ＡＩアシスタントとも呼ばれるが、こうした機能は、先に紹介したＣＭの「渡辺謙」を一部であっても実現したものといえる。

さらに、ＩｏＴから発展した「ＩｏＭ（Internet of Me：個のインターネット体験）」という言葉も使われ始めている。ＩｏＭは、「私にインターネットが接続する」という考え方で、ＩｏＴを個人に最適化したものだ。

例えば、ユーザーがランチタイムの渋谷にいる際に、ＧＰＳ等の位置情報とスマホに蓄積されたユーザー情報を加味して、ユーザーの好みや健康状態に見合った飲食店をスマホが提案する、といったサービスがある。あるいは、読者の中にも、健康管理のためにアップルウォッチなどのデバイスを利用している人がいると思う。購買・行動・閲覧などの履歴情報（パーソナルデータ）を活用して、より個人的・具体的な提案ができるようにする仕組みは、何《いず》れもＩｏＭの思想を具現化したものだ。

アメリカの著名な経営学者マイケル・ポーターと、米大手ソフトウェアメーカーＰＴＣの社長兼ＣＥＯであるジェームス・ヘプルマンによれば、スマート製品が有する潜在能力（ケイパビリティ）には、「モニタリング」「制御」「最適化」「自律性」の四つのレベルがあるという。[4]

この四つのレベルは、それぞれが個別にそれ自体として有用であるだけでなく、相互に関連し合うことで、人と人びととモノ、モノとモノとの間でやりとりされる複雑な情報を、より有用な情報へと作り変えることを可能にする。

例えば、火や煙を検知すると警報が鳴る防災・防火自動通報システムは、「モニタリング」と「制御」を内蔵している。それらは、内部または外部環境の変化を「モニタリング」し、それに応じて、クラウド上の遠隔コマンドや製品機器のアルゴリズムが製品に指示を出し、稼働が「制御」されるようになっている。アップルウォッチに代表されるウェアラブルデバイスが、ユーザーの心拍数などに基づき、心身の危険を察知し、警告を発するのも同様だ。

このような仕組みに「最適化」が加わったのが、いわゆる省エネ家電だ。それらは、予め設定した値を超えると自動で出力を抑えたり、電源が切れたりするように設計されている。酷いドライアイにもかかわらず、私が何とか執筆できているのも、デスク横の加湿器が部屋の湿度を常時60％になるように自動調整してくれているからだ。スマホも、例えば温度や明るさといった外部環境を常時「モニタリング」し、状況に合わせて画面の明るさを自動調整する「制御」と「最適化」を行っている。無駄を省き、危険を回避し、快適な環境を実現する上で、「モニタリング」「制御」「最適化」といった機能は、いまや不可欠な要素だ。

これらに加えて、現在ではユーザーの環境（ないし状態）に応じてシステムが自ら改善を行う、システムの「自律性」を備えた製品の研究開発も進められている。自動運転車はその代表例である。自動運転車は、先に挙げたスマート製品のケイパビリティのすべてを活用するものだ。実際、自動運転車の実現には、外部環境の「モニタリング」や、速度や車間距離などの「最適化」と「制御」が必要だ。現在の主流は、こうした機能を用いてドライバーの運転を「補完」することにある。つまり、ドライバーの注意不足や運転技術の欠点を補うということだ。

しかし、ドライバーを必要とせずに「自律走行」する、本当の意味での自動運転車も、ほどなく登場するだろう。こちらはドライバーを「補完」するのではなく、「代替」するものだ。この「補完」と「代替」の間の線引は突き詰めると難しいのだが、本書では差し当たり、私たち自身の関与をまったく必要としないものを「代替」と表現することにしよう。そうすると、先に挙げた防災・防火自動通報システムなどは、見張り番をお役御免にするわけだから、「代替」といえるわけだ。このような、私たちが担ってきた役割を「代替」する技術が、私たちの生活の質や幸福の向上に寄与することに疑問の余地はないだろう。

しかし、私たち自身の関与を必要としない、すべてが「代替」される社会は考えにくい。少なくともいま時点ではそうである。私たちは、自分の人生のすべてを他者（人とは限らない）に委ねるつもりはないはずだ。私たちが望んでいるのは、自分の人生を自分自身で可能な限り上手く歩んでいくことだろう。本書のテーマもそこにある。その意味で、本書が注目するのは、技術による人間の「補完」の方だ。私はこれには可能性があると思う。

この可能性は、前章でも見たように私たち自身の「ダメさ」を念頭に置けば、どうにか切り開く必要があるはずだ。いまやもはや山積する社会問題の多くが、この「ダメさ」にあるのは周知の事実ではないだろうか。実際、近年の認知科学や心理学、あるいは生物医科学などは、私たちの意志力や判断力、あるいは道徳性向などには深刻な欠点があり、そうした欠点が教育や啓蒙《けいもう》などの伝統的な方法だけでは、如何《いかん》ともし難いことを明らかにしている。

　こうした研究動向や、もっと卑近な私たち自身の経験に照らせば、人間の生物学的な能力や資質・性向を「脱自然化」してきた社会（科）学の貢献は、再び反転させる必要があるように思う。つまり、社会（科）学において「社会問題」と呼ばれてきたものを、「欠陥のある」人間性に帰着させることで、再び「自然化」する必要があるように思うのだ。

　要するに、私たち自身の「ダメさ」を正面から受け止めて、補完したり、改善したりする新しい道筋を社会として考えるべきではないか、ということだ。私たちの「ダメさ」をなおざりにするのも――教育現場に丸投げして無理強いしたり、「ダメさ」とは無関係に作動する社会制度を模索したりするのも――もはや限界である。それゆえ、しばしば期待されるような（おそらく不可能な）個人の学習性や高潔さに拘泥《こうでい》せずに、あるいはエリート主義的な分断統治を甘受せずに、私たち自身に補助具を加えることにも、解放的な価値があると認めるときが来ていると思うのだ。

セルフトラッキングの軌跡——テクニックからテクノロジーへ

前章では、アリストテレスが「悪しき習慣」を変える必要性に言及していることを見たが、これとて自力では不可能だ。私たちには、それを首尾よく為しうる具体的な方法が必要である。その点では、オランダの哲学者スピノザの方が、まだ少しばかり実践的だ。というのも、スピノザの『知性改善論』は、物事を誤りなく正しく理解するための、つまり「物事を真正に認識する」ための方法論を示しつつも、その小難しい議論に先立って、「知性を正しい道に返すように努力する間」に、私たちが実践すべき「若干の生活規則」にも言及しているからである。民衆が耳を貸してくれるように彼らの知性レベルに合わせて語るべきこと、快楽は健康に必要な程度に留めるべきこと、金銭その他の報酬は生活や健康、風習に必要なだけを求めるべきこと。スピノザは、こんな規則を提示している。

生活をきちんと整えることは「物事を真正に認識する」ための基礎だ、というスピノザの考えには賛成だ。アリストテレスはその必要性を、スピノザはちょっとした具体例を示したが、再三の指摘の通り、私たちにはより効果的で、身近で、負荷の少ない方法が必要である。

前章末尾で述べたように、本書は、その方法の一つとして、「セルフトラッキング（自己追跡）」に注目する。これは、自分に関する物事を記録し、そのフィードバックによって自己を改善しようとする実践だ。これを可能にするのは、スマート製品の潜在能力に代表されるような、日進月歩で開発が進む現代の技術である。

本書では、私たちが欲望に翻弄されるために、アクラシアや自己欺瞞のために、あるいは数々のバイアスのために「分かっているのにできない」状況を、少しでも緩和しようとする試みを、スピノザから本歌取《ほんかどり》して「現代の知性改善論」[5]と呼び、そして、それを支える技術をこう定義しようと思う。

> 不確実な状況の中で最善と思われる結果を達成するために、私たちの記憶力や、知能、意思決定、知覚（認識）、判断を、改善または補完する技術。

本書では、技術をテクノロジーの意味で用いている。しかし、実践的には技術を用いたライフハックでもあるので、むしろちょっとしたコツやテクニック（つまり、tips）にまで拡大しても良いかもしれない。少なくとも、セルフトラッキングの歴史的経緯を見るときには、技術は「tips」の意味でも理解されて良いはずだ。テクノロジーはむしろ、歴史的に試みられてきた「tips」を、より合理的に・効果的に実践するための最新の補助具だと考えれば、古人が自分自身を改善・補完するために試みた実践を一瞥《いちべつ》しておくことは有益だろう。そこで、セルフトラッキング技術の端緒として「日記」を取り上げてみよう。

①賢者たちの「日記」

私たちが「日記」と呼ぶものの原型は、日誌や日報など職務上の出来事を記録した忘備録や報告書である。ガイウス・ユリウス・カエサルが紀元前五八年から紀元前五一年にかけて、ガリア地方に遠征した際の記録である『ガリア戦記』などはその代表例だ。しかし、読み書きのできる教養層は、ほどなく個人にとっての特別な出来事、見聞、考えなどを書き留めるようになり、それを自省録や回想録として残すようになった。その最たるものは、古代ローマ五賢帝の一人であるマルクス・アウレリウス・アントニウスの『自省録』だろう。

彼は古代ローマ最盛期の最後の皇帝として名高いが、彼の統治時代は戦争が絶えず、天災や飢饉そしてペストなどの対応にも苦慮した皇帝でもあった。彼には自制心や忍耐力を鍛えることを説く後期ストア派の哲学者としての側面もあり、『自省録』は後代の知識人たちにも「古代精神のもっとも高貴な倫理的産物」と賞賛されている。

彼がローマ皇帝という重責を担うに値する、思慮深き人間だったのは確かだろう。しかし

『自省録』が「君が求めるものは何だ？」というように、自身の内面に問いかけるように書かれていることを考えると、自らに降りかかる苦難や災難への合理的な対処法を模索していたと言うよりは、慰めを求めていたようにも思える。後代の人びとにも『自省録』が響くところがあるとすれば、それは彼の思慮深さではなく、絶えず自分自身を点検し、問いかけ、慰め、鼓舞しなければならない、私たちと何ら変わりのない一人の人間としての姿ではないだろうか。

> われわれの人生とは、われわれの思考が作りあげるものに他ならない。
>
> 空中に投げられた石にとって落ちるのが悪いことではないし、昇るのが良いことでもない。
>
> それは不運ではない。むしろ、それに気高く耐えることが幸運である。

ここに挙げたのは、『自省録』を適当に開いて目に止まった断片に過ぎない。しかし、マルクス・アウレリウスが自分自身に言い聞かせている言葉はどれも魅力的で、『自省録』がビジネスパーソン向けの書棚に並ぶのも頷ける。もっとも、彼の言葉を自己啓発や意識改革としてだけ読むのは、いささか軽薄に過ぎるとは思うが。

とはいえ、本書のテーマも含めて実践的な取り組みを、何かと経済やビジネスに紐付けて小馬鹿にしがちな向きにも、『自省録』は見事なカウンターを放っている。

良い人間のあり方を論じるのはもう終わりにして、そろそろ良い人間になったらどうだ。

まったく同感だ。本当にそう思う。かつて日本政治や丸山真男《まさお》に造詣の深いある政治学者は、私に「著書より優れた著者はいない」と教えてくれたことがある。実際、愛や絆や、協働性や社会性を説く立派な言説で人気を博する識者でも、交流してみると唖然《あぜん》とするほど軽薄で自己中心的だったりもする。そういう自己愛の強い人物にとって、世間受けする言説は人格的な欠陥を糊塗《こと》するので、もっともらしい言説がいよいよ量産される。その結果、自己欺瞞であることさえ忘却され、人格陶冶《とうや》の機会も遥かに遠ざかってしまうのだ。

人格と言説の乖離、あるいは言行の不一致は、他者志向的な現代社会を嘆く知識人にも、往々にして当てはまる。「新しくて古い問題」と「古くて新しい問題」が混在する現代社会は、マルクス・アウレリウスの時代よりも、自分自身を見つめるのが遥かに難しいからだろう。そうであれば、いまや誰にとっても世間受けほど警戒すべきものはないかもしれない。

何が「できない」のか、自分がどう「ダメ」なのかを容易に見失う契機になり得るからだ。

　ここからすれば、「分かっていてもできない」のはむしろ幸いというべきだろう。「分かって」さえいれば、マルクス・アウレリウスがそうしたように、自分の状態を記述し、それを把握し、有り得べき自分の姿を書き込むことで、自らを鼓舞することもできるのだから。

　私たちは誰も彼も、そろそろ良い人間になってはどうだろう。そのための方法論を真剣に模索してはどうだろう。山積する社会問題（否、私たち自身の問題）の深刻さからすれば、手をこまねいて、時間を浪費してはいられないのは周知のはずだ。

　そう言えば、「Time is money（時は金なり）」で知られる、ベンジャミン・フランクリンも、「日記」（彼自身はそれを「回想録」と呼んだ）というセルフトラッキングの先駆者の一人であった。アメリカ独立宣言の起草にも関わり、避雷針などの発明家としても名を馳せ、１００ドル紙幣にも肖像が描かれるフランクリンは、節制や決断、謙譲など13の徳目を自ら設定した上で、日々の自分の道徳行動を監視し、自らの罪を記録し、その数を減らすことを目標にしていたという。[6] キリスト者であるフランクリンにとって、罪を犯すことのない習慣形成を目指した生活実践は、自分の「ダメさ」を回避するための、まさに「避雷針」だったのだろう。

②ハカリの中で生活した医師

マルクス・アウレリウスやフランクリンの「日記」は、後世の人びとに多くの影響を与えた。しかし、それらが何れも個人的な実践だったことに疑問の余地はない。彼らは他ならぬ自分のために、自分自身を記録したのである。自分を記録する実践、すなわちセルフトラッキングは基本的にはプライベートなものなのだ。

ところが、医科学的な関心からそれを試みた者がいる。イタリアの医師サントリオ・サントリオ（一五六一～一六三六）である。彼は、医科学に定量的な計測を導入したことから、医学における近代的な定量実験の父とも呼ばれている。彼の著書『De Statica Medicina』（医学的測定について）は、基礎代謝についての最初の体系的な研究であり、後世の医学に多大な影響を与えている。

彼はまた、私たちにとって身近な医療器具の発明者でもある。体温計だ。一六〇九年にサントリオが作ったのは簡素なものだったが、彼はそれを自分自身や大勢に用いることで、健康な人間の体温は一定に保たれることに気がついた。それもあってか、パドヴァ大学の教授になった一六一一年以降も体温や呼吸、体重の研究に取り組み、結局、彼は三〇年にわたり自分自身を実験台としてデータを取り続けたのである。

彼の逸話の中でも特に興味を引くのは、自分の体重の変化を記録するために、四六時中自らを大きなハカリにかけて、そこで食事や排泄を行い体重の変化を計測したことだ。その結果、彼は、食事により摂取したものより排泄物が軽いことや、発汗などによって目に見えないところで体重が減少すること（不感蒸泄《じょうせつ》）を突き止めた。

サントリオ・サントリオ

このような、彼の定量的な研究は「新しく前例がない」ものだったので、一七世紀には容易には理解されなかったようである。それでも彼は生理学的・病理学的な現象も精確に測定できると信じて疑わなかった。彼は親交のあったガリレオ・ガリレイへの手紙に、「私が発見した方法は明らかに重要である」と書いている。そのため、サントリオは脈拍を定量的に計測するための特殊な器械、「プルシロギウム」まで発明している。一六世紀の時計には、分針も秒針も無かったからだ。

　こうした経緯に照らせば、サントリオは、セルフトラッキング技術を「tips」から、「テクノロジー」の域に高めた人物といえるかもしれない。彼が切り開いた生理学的現象に関する定量的な研究は、その後の栄養学にも大きく貢献していることを思えば、サントリオを「セルフトラッキングの父」と言っても過言ではないだろう。実際、彼の研究は、近年注目されている「バイオフィードバック（Biofeedback）」とも無縁ではない。

③バイオ／ニューロフィードバック

　バイオフィードバックは、狭義には、呼吸や心拍数など通常は意識（自覚）や制御ができない（不随意な）生理反応を、電気信号などに変換することで認識可能にし、意識的に生理反応を制御しようという試みのことだ。この研究は一九六〇年代に隆盛したが、その基礎を築いたのは、実験心理学者のニール・E・ミラーだと言われている。[7]ミラーは、一九六〇年代のラットを用いた実験で、不随意とされてきた自律神経系反応が、随意的に学習可能であることを示した。つまり、心拍数なども意識的に制御できることを発見したのである。

　六〇年代後半には、ジョー・カミヤやバリー・スターマンといった研究者が、脳波などの中枢神経系活動も、意識的に制御し得ることを突き止めている。この研究は、自分の脳の活動を音や映像として認識することで、うつ病や不安障害、ＡＤＨＤやてんかんの症状を緩和する、「ニューロフィードバック」と呼ばれる治療の基礎になっている。

　ニューロフィードバックはさらに、「閉じ込め症候群」の患者とコミュニケーションを可能にする、その仕組みの基礎でもある。「閉じ込め症候群」は、事故や脳梗塞、またＡＬＳ（筋萎縮性側索硬化症）などの病気が原因で、本人の意識ははっきりしているものの、眼球運動とまばたきを除いて（それも困難な場合もある）、自分では身体を動かすことができなくなる症状のことである。こうなると、家族や医師とのコミュニケーションは非常に困難になってしまう。

　しかし、近年では、「閉じ込め症候群」の患者の脳に電極を埋め込み、脳信号を読み取ってモニターに文字を表示させたり、単語を選択させたりすることで、意思疎通ができるようになってきている。このような、人の脳に直接電極を挿入し、コンピュータと人間を接続する方法は「ブレイン・マシーン・インターフェース（Brain-Machine Interface：ＢＭＩ）」と呼ばれる。[8]この方法は、てんかんの症状を緩和するためにも利用されている。

　この他にも、脳に直接器具を挿入せずに、外部から脳波を計測する「ブレイン・コンピューター・インターフェース（Brain-Computer Interface：ＢＣＩ）」という技術も開発が進められている。器具を挿入するか否か（侵襲的か・非侵襲的か）にかかわらず、ニューロフィードバック研究は、セルフトラッキング技術の最も進歩的な形であるのは間違いない。

ただし、すべてのバイオ（あるいはニューロ）フィードバックが、このような先端技術を必要とするわけではない。先に挙げた事例はどれも、意識（自覚）できない自律神経系や、脳波などの中枢神経系の反応のみを「生体情報」として捉えたものである。バイオフィードバックの狭義の説明は、このような「生体情報」の狭い定義に基づいている。

しかし、バイオフィードバックは、広義にも解釈可能である。つまり、「生体情報」を生体に関するすべての情報と捉えれば、バイオフィードバックはより包括的なものになる。そうすると、体重計や体温計、カメラ・ビデオ、そして鏡なども「生体情報」を生体自身に返す技術と見なせるのである。先程、サントリオを「セルフトラッキングの父」と呼び、バイオフィードバックとも無縁ではないと述べたのは、これが理由だ。

「生体情報」を生体に関するすべての情報と捉える、バイオフィードバックの広義の解釈は、セルフトラッキングが私たちに何をもたらすのか、それを経験的に理解する上でも役立つように思う。つまり、体重計に乗ったり、鏡を見たりするとき、そうした技術との関わりで私たちが得ているのは、実は「気づき」だということが理解しやすくなる。

繰り返すと、体重の増加や鏡に映った疲れた顔などの「生体情報」は、運動不足や休養不足だと「気づく」ための、一つのキッカケに過ぎないと分かるはずだ。バイオフィードバックの狭義か広義かの解釈上の違いにかかわらず、そして、次章以降で取り上げるセルフトラッキングの多様な形態にもかかわらず、「気づき」は、それらに共通する極めて重要な要素である。ここに言う「気づき」が分かりにくければ、こう言い直しても良い。「気づき」とは、ある事柄の変化や、ある事柄と他の事柄の区別に対する認識のことだ、と。

自分の状態を数値化されたデータとして客観的に把握することで、「気づき」を確実なものにし、先の例で言えば運動したり休息したりするような、自発的な行動の生起確率を向上させようとする試み、それがセルフトラッキングだと言って良いだろう。

心理学に造詣の深い読者であれば、これが「オペラント条件づけ（operant conditioning）」の一種であることは容易に分かるはずだ。詳しい説明は省くが、オペラント条件づけは、報酬や嫌悪刺激（罰）によって、人間や動物の自発的で意図的な反応を増大ないし低減させる、動機づけられた学習のことである。例えば、教室での積極的な参加に対して、教師やクラスメイトから拍手が送られれば、その生徒はそれ以降も積極的に参加するようになるだろうし、反対に嘲笑されれば、参加しなくなってしまうだろう。

このように、私たちの自発的で意図的な行動の大半は、外部と完全に切れるという意味で自足しているのではなく、良くも悪くも条件づけられているのだ。このことを踏まえて、条件を制御することでより望ましい行動を引き出すのが、セルフトラッキングの醍醐味である。

セルフトラッキングは、基本的には個人的な実践でありつつも、それが首尾よく機能するには多くの情報が必要だ。というのも、定量化された広義の「生体情報」が、実際のところ、生体自身に対して何を意味するのかを知るには、先述の通り、ある事柄の変化や、ある事柄と他の事柄の区別に対する認識、つまり「気づき」が必要だからである。

以上の論点を踏まえて、話をデバイスへと戻そう。読者も知っての通り、トラッキングを行うためのツールは日進月歩している。サントリオがその魁《さきがけ》となった体温計はもちろんのこと、さまざまな形の測定機器が私たちを日々助けている。中でも、スマホのアプリは、セルフトラッキングにとっては理想的な環境を提供するものだといえる。なぜ、そういえるのか。以下ではそれを確認しよう。

④そしてスマホへ

私たちの最も身近にある「生体情報」を認識する技術（テクノロジー）を一つ挙げるとすれば、それはおそらくヘルスケアに関連するものだろう。新型コロナウイルス流行に伴って、血中酸素飽和度を簡単に測定できる「指先式パルスオキシメーター」が飛ぶように売れ、欠品が続出したことは記憶に新しい。読者の中には、ずっと前から家庭用の心電計や血圧計を常用している人もいるはずだ。

これらの「生体情報」の測定は、かつては病院で行うのが一般的だった。これが家庭で手軽に行えるようになったのは、一九七〇年代以降のことである。一九七〇年代後半には、早くも自動測定とデジタル表示が可能なパルスオキシメーターや血圧計が製品化されている。

心拍・脈拍計が病院の外に持ち出されたのも、一九七〇年代後半だ。一九七七年に、長距離走で野山を駆けるクロスカントリーのフィンランドチームが、トレーニング用に携帯型心拍計を開発している。それが一般向けに発売されたのは、五年後の一九八二年のことである。そして、さらに五年後の一九八七年には、カシオ計算機が、スマートウォッチの魁ともいえる、脈拍測定用のセンサーを搭載した多機能腕時計を発売している。

このように、二〇世紀後半にはすでに、家庭で手軽に自身の「生体情報」を測定することが可能になっていたのだ。このことが健康維持に寄与した事例は枚挙に暇《いとま》がないのだが、ここでは糖尿病に関する事例を一つ挙げておこう。

糖尿病科の医師であるステファン・マーティンらは、一九九五年から一九九九年の間に２型糖尿病と診断された患者３２６８人を対象に、追跡調査を実施している。[9] 調査対象となった患者の中には、血糖値測定器を利用して自らの血糖値をトラッキングする患者と、そうでない患者がいた。調査結果から分かったのは、致死的な病気の発生率は、少なくとも一年間トラッキングした患者が２・７％だったのに対し、非トラッキング患者は４・６％、そして非致死性の病気の発生率も前者が７・２％で、後者が10・４％だったということだ。つまり、セルフトラッキングを行う患者の方が、糖尿病関連の罹患《りかん》率が減少していたのである。「気づき」が、節制という自発的な行動の生起確率を向上させ、結果的に健康維持に寄与したわけである。血糖値測定器によるトラッキングが、アリストテレスの言う「悪しき習慣」を改める契機になったと言ってもいいだろう。

では、日常的に手軽に「生体情報」を計測できるようになった現在では、誰が、どのくらいトラッキングを行っているのだろうか。実数を正確に知ることはできないが、いくつかの手掛かりとなるデータがある。

例えば、二〇一三年にピュー・リサーチ・センターが実施した調査によると、アメリカの介護従事者（caregivers）の72％は、食事、運動習慣、血圧をトラッキングしているという。また、同調査は、非介護従事者（non-caregivers）の63％も、何らかの健康データのトラッキングを行っていると報告している。[10] 10年近く前のデータでもこのような結果なので、スマホをはじめとしたトラッキングデバイスがさらに普及した現在では、より多くの人がセルフトラッキングを行っていると考えられる。

実際、二〇一五年のデータ[11]では、市場に出回ったトラッキング専用のアプリは16万5000個であり、二〇一三年の時点の約2倍になっている。内訳を見ると、3分の2近くがウェルネス（wellness）やフィットネス、ライフスタイル、ストレスなどの、一般的な健康管理に関するもので、その他は投薬のリマインダーや妊活に関するものなど、個別のニーズに対応したものである。つまり、広範なニーズに対応するアプリがすでに存在するのだ。

では、肝心のトラッキングデバイスはどの程度普及しているのか。マーケティング・コンサルティング企業が、世界四〇カ国を対象に、二〇二〇年四月から二〇二一年四月までの間で調査したデータによれば、人口に対するスマホの普及率は、韓国が92％、中国が83％、アメリカが78%、イギリスが77%、ドイツが75%、フランスが71%、そして日本は64%であるという。[12] 日本の普及率は相対的に低いが、それでも人口の六割を超える人は、トラッキング技術を受け入れる準備が整っているわけだ。

スマホには加速度センサーをはじめ、さまざまな事柄を測定できるセンシング技術が搭載されているため、セルフトラッキングを実践する一番身近なデバイスといえる。スマホの普及やアプリの多様さとも相俟って、セルフトラッキングは益々手軽になってきている。これに輪をかけているのが、スマートウォッチなどのウェアラブルデバイスの普及だ。

二〇二〇年のピュー・リサーチ・センターの発表によれば、二〇一九年の段階で、アメリカの成人の21%がスマートウォッチ（アップルウォッチ等）、あるいはウェアラブルフィットネストラッカー（Fitbit等）を使用しているという。[13] これらは何れも日常的に腕に装着することで、脈拍や心拍数、カロリー消費などを計測できるデバイスだ。

このように、市場には多くのアプリが出回り、スマホだけでなく、ウェアラブルデバイスも着々と普及しつつある。トラッキング（あるいはセンシング）技術の高度化と、デバイス環境が充実する中で、いよいよ「Quantified Self（定量化された自己）」が注目されることになる。

数字を通じた自己認識

本章では、「分かっているのにできない」状況を改善する試みを「現代の知性改善論」と呼び、それを支える技術について述べてきた。そして、この技術を用いて定量的に状態を把握する実践は、私たちに「気づき」を促し、それによって自発的な行動の生起確率を向上させようとする試みとして理解できる、と論じた。この試みは、一般に「定量化された自己（Quantified Self）」（以下ＱＳ）と呼ばれる。

この試みは、いまや世界的なムーヴメントになっている。その発端は、『Wired』誌の編集者であるケヴィン・ケリーとゲーリー・ウルフが二〇〇七年に掲げた理念に基づき、二〇〇八年にウェブサイトが開設されたことである[14]（以下、ＱＳサイト）。ＱＳサイトでは、認知向上やダイエット、心拍数、お金、排卵周期と妊娠、生産性、睡眠など、多岐にわたるトピックが扱われている。しかし、それには共通のモットーがある。すなわち、「数字を通じた自己認識（self knowledge through numbers）」、あるいは「データ駆動型の生活」である。ＱＳサイトは、さまざまなプロジェクトの実施や利用者による活発な意見交換など、実践的な活動の場として機能しており、ここに集うＱＳの実践者たちはセルフトラッカー、あるいは「QSer」とも呼ばれている。

先述の通り、ＱＳには多岐にわたるトピックがある。「分かっているのにできない」状況は、それだけ多様だということだ。その改善が全体に共通する「目標」であるのは間違いない。しかし、その目標をクリアした先、つまり最終的なゴールとなる「目的」は人それぞれだ。ついつい間食してしまう「悪い習慣」を断ち切るという「目標」は、ある人にとってはダイエットという「目的」に適《かな》い、別の人にとっては蓄財という「目的」に適うかもしれない。この「目的」の多様さは、セルフトラッカーたちの動機の多様さに通じる。そこで、彼らの主要な動機（あるいは「目的」）に関しても、先行研究を一瞥しておこう。

データによる説得を望む人びと

セルフトラッキングの市場はヘルスケアに関する割合が最多だが、ユーザーがトラッキングを行う動機は、自分自身の健康管理に限定されるわけではない。彼らは、より広い目的のためにもそうすることがある。この点を明らかにした研究として興味深いのは、二〇一二年に、ヘルシンキの国立消費者研究センターが、フィンランドの国立技術研究センター（ＶＴＴ）と協力して行った調査研究である。[15] この研究は、調査対象者にウェアラブルデバイスで一定期間心拍変動データなどを収集してもらい、その過程で得た「気づき」を聞き取り調査するというものだった。

最初に目を引くのは、調査対象者を募集するに当たり、体調の悪い人や、過度のストレスやアルコールの乱用が疑われる人は、参加の誘いを断る傾向があったということだ。この研究ではその理由は明示的には述べられていない。しかし、公衆衛生リスクへの関心が高く、それに基づく福祉国家政策が採られる北欧での調査だったことは考慮するべきだろう。つまり、参加を断る傾向にあった人びとは、自分の状態の悪さが可視化されることで、自責の念を強く感じたり、他者から道徳的に非難されたりする可能性を恐れたのかもしれない。

逆に言えば、参加を希望した人びとは、それだけ自分や他者に対する責任を果たしたい、という思いがあったといえる。実際、聞き取り調査の結果はそれを示唆している。

例えば、ある40代の男性参加者は、父親が比較的早い時期に脳卒中で亡くなったため、コレステロールについて注意深く、自分を観察する必要性を感じていたと述べている。この男性がセルフトラッキングを試みる「動機」は、健康維持それ自体だったわけだ。他方、別のある若い参加者は、一つの物事に没頭しすぎて精根尽きてしまう「燃え尽き症候群」などに悩まされており、日常生活のバランスをより効果的にとる方法を知りたいと考えて参加したという。この若者の「動機」は、健康維持よりも射程範囲の広いものだったといえる。

また、調査対象者の中には、自分よりも他者のために参加した人もいた。ある30代の母親は、子どもたちにとっての模範的な存在になると同時に、高齢化した際に他者の言いなりになるのではなく、自分の面倒を見られるようになりたいと考えて参加したと述べている。

このような聞き取り調査の結果として、この研究は、参加者の実に多くがセルフトラッキングによって自分を「生体情報」に分解することで、より良い影響を受けることを期待していたこと、そのために参加者は正確なデータを得ようと何度も測定を望んだこと、そして、最終的な成果に満足していたことを報告している。事実、20代後半の参加者の一人は、データが自分の人生に影響を与え、幸福感を高めるための実用的で日常的な手段を提供してくれることに、感銘を受けたとさえ述べている。

この研究プロジェクトを主導したミンナ・ラッキンシュタインは、「動機」の多様さにもかかわらず、セルフトラッキングは「生体情報」の可視化というよりも、自分を「説得」する方法であるように見えると論じている。彼女のこの指摘に即せば、セルフトラッキングには自己を変革するための、大きな可能性があるといえる。

ＱＳ運動の支持者たちは、まさにこの点にセルフトラッキングの利点を見ている。「ダメな」自己を変革する可能性が、セルフトラッキングによって拡大することを期待しているのだ。この期待の中には、しかし、世間の「普通」や「基準」から距離を取り、あくまでも「私」として生きたいという、別様な志も含まれることがある。この場合の「ダメさ」とは、社会や政府や企業が私たちに押し付けがちな、「尺度」を甘受するということだ。このような「尺度」に照らして自己を理解するのではなく、それを拒否し、「自分自身の専門家」として自らを創り上げること、これもＱＳ運動の一つのあり方なのである。

そこで次項では、そのような事例を紹介しよう。

自分自身の専門家

アリゾナ州立大のトーマス・キャトローとポートランド州立大のビリー・サンドバーグは、ＱＳサイトに投稿されたビデオログを研究対象とする中で、「自分自身の専門家」になろうとするセルフトラッカーたちの姿を見出している。[16] ここでは、その中から四つの代表的な事例を取り上げておこう。

第一は、健康維持に関して独自の取り組みを行っている、ウィリアムという男性の事例だ。彼は血栓ができることを心配し、食生活の変化が血液凝固度にどのような影響を与えているかを知りたいと考えていた。そこで、彼は食生活を記録し、同時に毎週血液凝固度を検査することにした。その結果、自分の食生活と血液凝固度との関連に「気づき」、食生活をコントロールすることで、血液凝固度を目標の範囲内に保つことができるようになったという。

第二も、健康維持に関する事例だ。第一の事例と異なるのは、実践よりもデータの捉え方に独自性があることだ。ロジャーはリラックスに困難を抱えていた。心の中に浮かんでは消える複雑な思考を調整できず、ポジティブな考えによってさえ気が散ってしまうことに悩んでいたのだ。そんなとき、彼は心拍が不安定に変動していることに「気づいた」。

そこで、彼は心拍変動を注意深くトラッキングし、心拍変動と注意散漫な状態との関連を探った。その結果、心拍変動が不安定になるときに呼吸を整えることで、注意散漫を抑制することに成功したのだ。つまり彼は、自分の思考の乱れを心拍変動に変換し、それに対処するという方法を見出したのである。

第三は、開発者が想定したアプリの目的に始終せずに、独自の目的のためにアプリを使用したカイランという男性の事例である。彼は移動ルートを記録・可視化する地図アプリを使っていた。あるとき、彼はこのアプリの地図上には、まだ訪れていない場所が多くあることに「気づいた」。彼は移動のトラッキングによって、もっと歩きたい、もっと探検したいという気持ちになり、自分を取り巻く環境との関係を見直すキッカケを得たという。

最後は、セルフトラッキングによって、自分のバイアスを知った女性の事例だ。ケルシーは、週に5冊の本を読むこと、そして自分が読む本の50％を女性の書き手に、30％は有色人種の書き手にすることを目標にしていた。これには、読書愛や読書習慣を取り戻すという目的があった。そこで彼女は、自分の読書をトラッキングし、読んだ本のレビューをブログに書くことにした。その記録は、彼女を驚かせるのに十分なものだった。というのも、それは、彼女が読んだほとんどが、実際には白人男性の本であることを示していたからだ。

彼女は、この原因は自分が利用しているSNSにあると「気づいた」。つまり、白人男性の本ばかりがオススメされる「フィルターバブル」に囚われていたのだ。彼女は、SNSに流れてくる情報を拾うのを止め、直接本を検索したり、知人に尋ねたりするようにした。その結果、ケルシーは、読書愛と読書習慣を取り戻すだけでなく、より自覚的な読書家になったという。

以上の四つの事例は、それぞれの取り組みや目的は異なるものの、セルフトラッキングによって「気づき」を得て、自分自身の考えや行動を改善したことに共通性がある。セルフトラッカーたちは、このように何かのデータ化・定量化を通じて、自分自身を誰よりもよく知る存在になること、つまり「自分自身の専門家」になることで困難を乗り越えるとともに、他ならぬ「私」として生きようとしているように見える。

しかし、それは利己的な関心に閉ざされているわけではない。セルフトラッキングは自分自身にのみ寄与するのではなく、他者との関係性にも開かれている。そこで、次章ではセルフトラッキングを、他者との関係性においても検討してみよう。

第3章　定量化される関係性

前章では、人びとが「自分自身の専門家」となるべく、積極的にＱＳを利用している事例を見た。しかし、このような実践は「自己」を対象としているだけではない。ＱＳムーヴメントの広がりの中で、この実践は更なる展開を見せている。トラッキングはいまや自分と他者との関係性を理解し、管理し、改善するためにも用いられているのだ。

しかし、一口に他者との関係と言っても、それには多少の幅がある。そこでこの章では、自分と「親密な他者」、自分と「第三者としての他者」の間で、トラッキングがどのように活用されているのかを見ていこう。

「盲点の窓」を開ける鍵

「自分のことは、自分が一番よく分かってる！」。お節介に対しては、こう言い返したくもなる。しかし残念ながら、これは本当では無さそうだ。

例えば、自己評価の低い人であっても、周囲の人は高く評価していることがある。本人は自信に満ち溢れていても、世間の評判は往々にしてイマイチだったりもする。自分の認識と他者の評価が一致するのは稀なことだ。これは経験の教えるところであって、他者の評価は必ずしも妥当とは言えない、ということも同様だ。しかしそれでも、自己評価よりは役に立つだろう。というのも、私たちは本当のところ、自分自身についてはよく知らないからだ。

この点に関して、アメリカの心理学者ジョセフ・ルフトとハリー・インガムが、一九五五年に発表した「ジョハリの窓」という心理学のツールは、ちょっとした気づきを与えてくれる。ジョハリの窓では、他者とのコミュニケーションの進め方や、そこでの自己の開示のあり方を考えるために、「自己」を次のように四つの窓に分けている。

①開放の窓＝「公開されている自己」（open self）
②盲点の窓＝「自分は知らないが他人は知っている自己」（blind self）
③秘密の窓＝「隠されている自己」（hidden self）
④未知の窓＝「誰にも知られていない自己」（unknown self）

①「開放の窓」は、自他ともに理解している私、②「盲点の窓」は、他者だけが理解している私、③「秘密の窓」は、他者に隠している私、④「未知の窓」は、自分も他者も気づいていない私のことだ。

このように私（＝自己）を四つの窓として理解するとき、他者との関係で問題となるのは、言うまでもなく「盲点の窓」、つまり他者だけが理解している私である。自己認識と他者評価との間のギャップは、私たちを大いに驚かせ、そして悩ませる。私たちは自分をうまく客観視することができず、同時にまた、仮にその客観的な自己像を他者から提示されても、それを素直に受け入れることができない。その自己像が認め難いものであれば尚更だ。そのような自己像が提示されれば、人は時として憤慨し、怒りのあまり自己欺瞞（自己正当化）に陥ることも珍しくない。対人関係の悩みは、このようなギャップを原因とすることが大半ではないだろうか。そうであれば、私たちはどうにかして「盲点の窓」を、「開放の窓」へと変換する手立てを見つけなければならない。

　幸いなことに、私たちはその手立てをもう持っている。少なくとも、そう考える人たちが大勢いるのだ。後述するように、セルフトラッキングはまさにそのためのツールとして理解されている。セルフトラッキングは、他者には見えている自分の姿（盲点の窓）を、データとして私に可視化する技術として活用されているのである。

　しかし、そこにも問題はある。「盲点の窓」を、「開放の窓」へと変換するつもりであったのに、セルフトラッキングを利用することで、他者には隠しておきたい自己（秘密の窓）が、知らないうちに特定の他者に知られたり、あるいは広く公開されてしまうといった事件も起きている。いわゆる「プライバシーの侵害」が生じることもあるわけだ。

とはいえ、こうした問題は、セルフトラッキングそのものの問題と言うよりも、運用面での問題である部分が大きい。実際、プライバシー保護に関しては法的な規制が進んでおり、セルフトラッキングの開発者も、そして提供者も、情報の管理にはかつてないほど慎重になっている。セルフトラッキングが世界的なムーヴメントとして急速に拡大しているのは、一つには制度的な改革が進み、安心感が増していることも背景にあるのだろう。

何れにしても、セルフトラッキングは「自分自身の専門家」になることを通じて、他者との関係性をより良いものにする、そのような技術として拡張され始めている。そこで以下では、まず、自分と「第三者としての他者」の関係を管理・改善することを目的とした実践を一瞥し、次いで自分と「親密な他者」の関係を管理・改善する実践を取り上げることにしよう。

他者の〈他者〉としての私の貢献

セルフトラッキングを行うには、情報を計測して数値化するセンシング技術が搭載されたデバイスが必要だ。その代表は何と言ってもスマートウォッチだろう。スマホと違って直接肌に触れているので、スマートウォッチは四六時中さまざまな生体情報を計測できる。例えば、アップルウォッチには不整脈を感知する心電図機能が搭載されている。この機能は周知の通り、心臓の動きを日常的に計測し、大きな問題が起きる前に、病気の予兆を本人に通知することを目的としたものである。アメリカでは、この機能は二〇一八年から利用可能になったのだが、これまでにも多くの人がこれによって命を救われている。

世界的にも有名になった事例の一つを紹介しよう[1]。

二〇二一年四月のこと。アメリカのある女性が出かけようとしたところ、アップルウォッチが彼女の異常を検知した。数メートル歩いただけなのに、心拍数が急上昇したことをアップルウォッチが捉えたのだ。最初は誤作動かとも思ったが、彼女は念のためと検査を受けた。すると検査結果は驚くべきものだった。彼女は心臓発作を起こしていたのだ。アップルウォッチが捉えた異常は、ウィドウ・メーカー（心臓の主冠状動脈狭窄の俗称）と呼ばれるものが原因で、これが屋外で発生した場合、生存確率はわずか12％であるという。このアップルウォッチは誕生日に夫からプレゼントされたもので、当初は着けることを拒んでいたが、その日はたまたま身に着けていた。これが幸いして、彼女は九死に一生を得たのだ。

「大切な人のために、あなたもアップルウォッチを贈ろう」。

こんな露骨なＣＭより、この事例が、アップルウォッチのまたとない宣伝になったのは言うまでもない。しかし、セルフトラッキング・デバイスを贈ると人助けになるというのは、あながち馬鹿にもできない。それは、先に挙げた事例の女性のように、たまたま命が助かるといったケースがあるから、というだけではない。ＱＳは特定の他者のために貢献するだけでなく、センシングされたデータが匿名加工され、共有されることで、セルフトラッキングの実践者は元より、それ以外の人たちにも多くのメリットをもたらす可能性があるからだ。

第1章の冒頭で言及した「One for all, All for one」（一人はみんなのために、みんなは一人のために）という言葉を、いま一度思い出してもらいたい。アップルウォッチが個人の健康に寄与しうるのは、数多くの人びとのデータが集積したことで、分析精度が向上したからに他ならない。

つまり、各人の履歴データが集積され、いわゆる「ビッグデータ」になると、その分析は多くの発見をもたらすので、履歴データを提供した個人は結果的に、他の提供者にも貢献することになるわけである。

熱心なセルフトラッカーの中には、自分を知りたい、最適化したいという欲求だけでなく、自分のセンシングデータを役立ててもらおうと、自発的に友人やフォロワーと共有する人もいる。さらに熱心なセルフトラッカーたちの中には、自分たちの実践の記録をブログやSNSに公開している人もいる。「他者への貢献」、これが彼らの活動動機になっているのだ。

自発的であれ、非自発的であれ、セルフトラッキングには何れにしても他者に貢献する部分が確かにある。とはいえ、これを動機として実践し続ける人は少数だ。では、利己的な動機、つまり健康維持や生産性の向上はどうかと言えば、実はこれとて、実践を継続するのに十分なものではないようだ。ある調査によると、ヘルスケアアプリの利用継続率は、二日目には30%、七日目には20%、そして一カ月後には10%に減ってしまうそうである。自制心の無さ（アクラシア）は、こんなところにも影響しているのだ。

そのためアプリの中には何とか継続利用させるために、「ゲーミフィケーション」の要素を取り入れたものもある。ここに言うゲーミフィケーションとは、ゲームのデザインや要素を取り込むことで、特定の行動に向けて利用者を動機づける仕掛けのことだ。

例えば、ある減量アプリは、目標達成ごとにポイントが入手できるようになっており、それがスコアとしてランキング表示されるようになっている。自分のランキングを上げること、つまりスコアボード上の誰かと競い合うことが、目標達成の、つまり減量アプリの継続使用の動機の調達になるわけだ。

これは競争心を利用する戦略だが、承認欲求を利用する戦略もある。例えば、読書アプリ「読書メーター」では、読書の感想を書き込むと他のユーザーから「いいね」をもらえたり、コメントをもらえたりする。他のユーザーとのコミュニケーションが読書習慣を継続させ、アプリの継続使用の動機ともなるわけだ。

これらのアプリの共通の特徴は、自己完結しないこと、つまり、そこに他者が介在するということである。他のユーザーは私にとっての他者だが、私というユーザーは他者にとっての他者でもある。私と他者の、この二重性はセルフトラッキングの要であって、これは後述するようにQSが拡張する際の要点でもある。

要するに、サービス提供者は実践の広がりの中で、利己的な関心が利他的なものに繋がることを、ユーザーがはっきり意識できるように仕様を変更し始めているのだ。つまり、ユーザーは、セルフトラッキング・データの提供という隠れた貢献だけでなく、動機を生み出すシステムの一部として、より具体的で、より意識的な貢献を促されているわけである。

実際、このような仕様の変更は、QSの実践にも無視し得ない変化を引き起こしている。その先鋭的な事例の一つは、パートナーである親密な他者と自分の位置情報を常に共有し、身の潔白を証明し続けるという実践だろう。この取り組みの実践者たちは、そうすることで自分の不埒《ふらち》な行動を抑制することができ、同時に自分のパートナーに安心感を与えられると考えているのである。

このような、他者との関係性を維持・改善する目的でセルフトラッキングを活用する実践は、ＱＳと対比して、「定量化される関係性（Quantified-Relationship）」（以下ＱＲ）と呼ばれている。

先述の通り、任意の他者への貢献を意識的に継続できる者は少ない。しかし、相手が自分のパートナーとなれば話は別だろう。したがって、ＱＲを理解する際に最も適した事例は、やはり親密な関係の中に見つけることができる。夫婦関係や恋愛関係はとりわけ関係性の維持にコストがかかるため、現代の夫婦や恋人たちの中には、巧みにＱＲを取り入れている者たちがいる。そこで以下では、彼らがＱＲをどのように実践しているかを見てみよう。

セックス・ライフ・トラッキング

ウィーン大学でジェンダーを研究するボカ・エンらは、恋愛関係や夫婦関係の維持を目的としたトラッキングアプリの活用について、興味深い事例を報告している。[2] それは、自分のセックス・ライフをトラッキングしたマイルズ・クレーという男性の事例である。そのあらましは、次のようなものだ。

マイルズは、自分の性的な満足感を高めることに関心があり、普段から「自分のセックス・ライフを改善するには、自分のセックスを評価することが必要だ」と感じていた。そこで彼は、セックス・ライフをトラッキング可能な三つのアプリ（Intima、Love Tracker、Track My Sex Life）をスマホにインストールして、妻の合意の下、2週間にわたって各回のセックスの時間、行為の種類、場所、満足度などを記録することにした。

これらのアプリは、セックスの相手方とデータを共有することができ、互いのセックスを評価し合えるようにもなっている。そこで、マイルズ夫婦はデータについて話し合い、セックスに関する互いの理解を深め合うことにした。その結果、マイルズによれば、記録を開始してから2週間の間、妻からの評価はいつも満点になり、夫婦関係も良好になったという。

この事例の興味深い点は、トラッキングの当初の目的が、最終的には別の結果にも繋がったことである。つまり、マイルズは自分の性的な満足感を高めるという、利己的な関心からトラッキングを始めたわけだが、最終的には夫婦関係が好転するという、妻にとっても利益のある結果になったのだ。

このような結果になったのには、いくつかの理由が考えられる。その一つは、夫婦の間でデータが共有されたことで、セックス・ライフに関する互いの暗黙の了解が可視化され、それについて率直にコミュニケーションする機会が得られたことだろう。性的満足度の向上そのものよりも、データによる可視化と共有によって、言語化しにくい事柄がコミュニケーション対象になったことが、このような結果に繋がったと考えられるのだ。

この点に関連して、事例報告をしたボカ・エンらは、「データによる可視化」の意味にも注意を促している。彼らによれば、可視化は何も、トラッキングアプリが意図して測ろうとした対象に限ったことではないという。例えば、トラッキング項目の一つである「セックスの時間」は、それを記録しようとすれば、どこからどこまでがセックスなのか、つまり、そもそもセックスとは何か、どのような行為がセックスなのかを定めねばならない。それには、二人のコミュニケーションが不可欠なのであり、結局それは、二人にとっての「セックス」の可視化を意味するというわけである。

ボカ・エンらは、トラッキングという実践では、トラッキング対象の定義に関するコミュニケーションが必要になることがあり、それがＱＲの実践者に、既存の「常識」を問い直させたり、彼らにとっての「新たな意味」を発見させたりする契機になることを指摘している。この点は、夫婦関係が好転した二つ目の理由といえる。

以上からすれば、マイルズの事例が示唆するのは、およそ次のことだろう。すなわち、親密な他者との関係の定量化であるＱＲは、暗黙の前提（常識であったり、思い込みであったり、あるいは、そもそも一致していない事柄など）をコミュニケーションの対象に変える役割を果たし、それによって共通の地盤を築く実践である、ということだ。

ＱＲの三つの特徴――可視化、動機づけ、監視

コミュニケーションを促進し、共通の地盤を築くことは、ＱＲがどのような実践であるかを説明する、ＱＲの主だった特徴といえる。

しかし、ＱＲの特徴はこれだけではない。新技術の倫理的、法的、社会的影響を研究するジョン・ダナハーらによれば、ＱＲには相互に関連する三つの特徴があるという[3]。

それによると、ＱＲの第一の特徴は、親密な行動に関するデータの「可視化」である。性的行動（性的接触の回数、時間、性的接触時の心拍数、音声レベルなど）や、恋愛行動（購入したプレゼントの数、行った家事、送ったメッセージ／カード、交わした会話など）などのトラッキングがそれに当たる。これらの「行動」に関するデータはコミュニケーションの対象になるので、先に見たマイルズの事例は、この第一の特徴を示すものだといえる。

マイルズは先述の通り、アプリの活用について語っているが、親密な行動に関するデータの収集は、多くの場合、スマホのアプリと連動する「スマートセックストイ」や「エクササイズデバイス」と呼ばれる機器が活用されている。一例を挙げれば、女性の骨盤底筋を鍛えるためのエクササイズデバイスである「kGoal」は、体幹の強化や膀胱の制御機能の改善といった個人的な利得に加えて、パートナーとの「親密な幸福感」の向上を謳《うた》っている。[4]
このようなセクシュアル・ヘルスに関するデバイスの市場は、二〇二六年までに３８０億ドル（約４兆円）に達すると言われている。[5] その背景には、ＱＳ・ＱＲムーヴメントの広がりがあるのは言うまでもない。

ＱＲの第二の特徴は、親密な関係の維持や発展を目的とした「動機づけ」だ。これには出来事の共有や、報酬の付与といった内容が含まれている。出来事の共有というのは、二人の写真や、二人だけのメッセージ、ＴｏＤｏリスト、記念日が記されたカレンダーの共有などのことだ。日本でも「Cross」や「THE COUPLE」、「Between」といったアプリが利用可能だが、これらは何れも、二人のための閉じた世界を作る、という点に重きが置かれている。
他方、報酬の付与というのは、ポイントや報酬を貯めるといった、ゲームのようなコンセプトを現実の目標に適用するもので、「Kouply」や「Kahnoodle」などのアプリに見て取れる。「Kahnoodle」のウェブサイトによると、このアプリの利用者は、「ラブサイン」や好みの愛情表現（「愛情のこもったタッチ」や「言葉で褒める」など）を、ランク付けするよう求められる。そして、パートナーが「愛のしるし」を示すと、その行動に対して「Kudos（賞賛）」が与えられる。これは、パートナーの「愛のタンク」を満たすために蓄積されるポイントとして機能し、「Koupon（クーポン）」やその他の報酬と交換することができるという。

「Kahnoodle」の創設者兼ＣＥＯであるズハイラ・スコット・ワシントンは、あるインタビューの中で、アプリの利用は「カップルがより良いパートナーになることや、より頻繁に愛されていると感じるために必要なものをお互いに与えること……そして、二人の関係の成功を積極的に管理することを容易にする」と述べている。[6]

このような「動機づけ」の方法（つまり、ゲーミフィケーション）には、疑問を感じる読者もいるだろう。実際、ノースウェスタン大学の心理学者イーライ・フィンケルも、こうした方法は、カップル内に不健康な「交換精神」を生み出す可能性があると指摘している。[7]しかし、この問題は次章で検討するので、ここでは保留して先に進もう。

ＱＲの第三の特徴は、親密な他者に対する「監視」だ。つまり、親密なパートナー（複数）の行動を相互に監視するためにトラッキング技術を使用するのである。これには、パートナーのデータを追跡・監視する、いわゆる「監視アプリ」が使われる。

監視アプリを用いれば、パートナーの居場所や行動を確認することができたり、音を鳴らして寝ている相手を起こすなど、パートナーの行動に干渉したりすることもできる。そうしたものの中には、パートナーの携帯電話のメッセージや通話を秘密裏に監視したり、遠隔操作でカメラをオンにして盗聴や覗《のぞ》き見を可能にしたりする違法なものもある。

パートナーの同意を得ない監視に違法性があるのは明らかだが、同意があれば問題ないとも言い切れない。法的な責任とは別に、道義的な責任というものもあるからだ。日本で、二〇一一年にリリースされた「カレログ」の炎上騒ぎは、それを知る格好の事例だ。

「カレログ」は、彼氏の浮気防止を謳ったアプリで、主として彼氏の位置情報を把握可能にするものだった。このアプリは、当初からプライバシーの侵害になるとマスコミでも問題視され、リリースの翌年には運営会社がサービスを停止し、お詫びの文章をホームページに掲載するという顛末になった。この事件については、当時の総務大臣だった川端達夫も記者会見で、「同じようなことが当然起こりうるので、一度しっかり研究したい」と述べている。

しかし、それから10年近くたったいまも、こうした「監視アプリ」は数多く存在している。「mSpy」や「Life360」といったサービスはその代表例だ。これらは、ペアレンタルコントロールアプリ、つまり、子どもを対象とした監視アプリである。子どもの安全を図る上では、こうしたアプリは有用であるかもしれない。しかし、これらのアプリは子ども以外を対象にもできるので、実質的には「カレログ」と同じ目的でも使えてしまう。

要するに、状況は10年前から大して変わっていないということだ。監視対象や監視目的が少し変わって見えるだけで、社会的な評価がまるで違ってくるのは、技術の本質に対する私たちの理解不足を示しているように思う。技術にまつわる問題の大半は、機能面における技術それ自体の問題というよりも、それを運用する人間側の問題である。だからこそ翻って、技術の運用を人間だけに任せるのではなく、技術を適切に扱えるように人間を支援する（メタな）技術、そのような設計の倫理が必要なのではないだろうか（この点については、第６章で論じる）。

以上では、「可視化」「動機づけ」「監視」という、ＱＲの三つの特徴を見た。これらの特徴には一長一短がある。しかし、これらは相互に関連し合っているので、QR全体としてどう評価するかは議論の余地がある。この賛否については、章を改めることにしよう。

本章の後半は、経験的な次元を少し離れて、近未来には存在するかもしれないQRの進化系について考えてみたい。

アプリがユーザーの専門家になる未来

QSやQRの最も基本的な要素は、自分自身についてのさまざまな事柄をセンシング（測定）し、トラッキング（追跡）し、シェア（共有）することだ。これは、利己的、利他的を問わず、すべての目的に共通する、いわば「分母」となる要素である。

こう言うと、データの解釈もそうではないか、と思う読者がいるかもしれない。確かにデータは集めるだけではダメで、解釈することが必要だ。実際、「自分自身の専門家」になるというQS・QRの重要なコンセプトは、データをどのように解釈し、どのような示唆を引き出すかは、ユーザー自身の責任において為される、という意味でもある。だから、データを解釈するという要素も、本来であれば「分母」に加えるべきだといえる。しかし、コンセプトを離れて実践そのものを見れば、大半のユーザーにとっては、データの解釈は必ずしも重要な要素ではなくなってきているようである。

例えば、アップルウォッチの心電図機能のように、不整脈などの明らかな医学的「異常」を察知するものは、そもそもユーザーがデータを解釈する余地は少ない。警告が鳴れば、急いで医者にかかればよく、あれこれ思い悩む必要はない。他方、睡眠時間の長短や体重の変化、消費カロリーの多少、必要な栄養素の過不足などを示すデータは、ユーザーごとに意味することは異なる。というのも、例えば体重の増減は、痩せている者と太っている者とでは健康に対する意味合いが異なり、またユーザーがどのような身体を理想としているかによっても、その意味合いは大きく異なるからである。だから、ユーザーは自分にとってのデータの意味を、それぞれ解釈する必要があるわけだ。

しかし、グラフなどによって可視化されるデータが多くなると、そうした事情も変わってくる。というのも、データが増えるほどそれらを解釈するのは面倒になり、さらに複数のデータが全体として意味することは、素人では解釈しきれなくなってくるからだ。サービスの提供者間でデータを移行できなかったり、アプリごとに基準が異なるために簡単に比較できなかったりすることも、ユーザーの「解釈離れ」を助長している一因だ。

そうなると「自分自身の専門家」を目指すにしても、納得したり批判したりできる基準が最初に示されていた方が、何かと都合が良くなってくる。だから、データはグラフで示されるだけではなく、何を意味するのか、どうすれば良いのか、それを教えてくれるアプリの方が便利に思えてくるわけである。実際、サービスの提供者もこのようなニーズを汲み取って、積極的に解釈や取るべき行動を示すようになっている。

二〇〇七年に創業した「Fitbit」は、その嚆矢《こうし》といえる存在だ。「Fitbit」のアプリでは、あくまで参考値であることを断りつつも、アップルウォッチのそれとは違ってより具体的な健康指標が示される。ちなみに言えば、「Fitbit」は二〇二一年にGoogleによって、21億ドル（約２１８０億円）で買収されている。それは、Googleの市場の拡大とApple社への対抗を意識した動きであることは間違いない。日本でも、このようなトラッキング市場の拡大を背景に経済産業省が旗振り役になって、二〇二二年にはアプリ事業者と新たなルール作りに乗り出す方針を打ち出している。[8]

サービス提供者間やアプリ間で分断されていたデータを集約することで、データの分析範囲や分析精度を充実させ、それに基づく解釈と行動の指針を提示できるようにすること、これが各方面で進められているのだ。言うまでもなく、こうした動きはユーザーごとの自分にとってのデータの意味を、アプリ自体が把握するということに繋がっている。「自分自身の専門家」であることを目指すユーザーに先駆けて、アプリこそがユーザーの専門家になる日が着実に近づいているのである。

このような道行きの先に、第2章で紹介した「モラルアドバイザーとしてのスマホ」があることは想像に難くない。実際、現在でもすでに医療関係者に対して治療方針の意思決定を支援するシステム（臨床意思決定支援システム）は存在している。近い将来、意思決定をサポートするシステムの進化版は、一般の人びとにも利用されるようになるかもしれない。

このような未来が、ＳＦの世界ではずいぶん昔から描かれてきたことは周知の通りだ。そして、それらの大半が、それをディストピアとして描いていることも、読者はよく知っているはずだ。この未来のイメージは近年のアニメにも踏襲されている。

例えば、『PSYCHO-PASS』では、人びとのある種の精神状態（作中では「生体力場」と呼ばれる）を解析して数値化することで社会を改善する、「シビュラシステム」の存在が描かれている。シビュラシステムは、人びとの能力や資質に適した職業を示し、充実した人生を送る支援を行うほか、罪を犯す可能性のある者を判別し、治療の対象とすることで治安の維持に役立つように設計された福祉支援システムである。

『PSYCHO-PASS』が描く社会は、秩序や幸福が実現した社会だ。その代償として人びとに課されているのは、「不道徳である自由」の制限である。これが当局によって徹底的に管理・制限されているのだ。その社会では、人びとは常に心理状態を計測されており、それが「色相」として視覚化されている。ストレス過多や悲観的・利己的な思考を持つと色相が濁るが、それは各人の危険性を評価した値である「犯罪係数」が上昇したことを示している。その数値が基準を超えて回復しない者は、「潜在犯」として扱われ、社会から実質的に排除・隔離されることになる。社会の秩序と幸福は、このようにして実現されるのだ……。

『PSYCHO-PASS』は、この社会をディストピアとして描いている。この社会が、超管理社会であるのは明白だ。しかし改めて、この社会がディストピアである理由を問われたら、読者は何と答えるだろうか。プライバシーが侵害されるから？　不道徳である自由がないから？　システムが怖いから？　この問いには、いくつもの回答があり得るだろう。しかしここでは、こう考えてみてほしい。もし、『PSYCHO-PASS』の描く社会が、「不道徳である自由」を当局が制限する社会ではなく、不道徳な行いをしてしまわないようにシステムを用いて管理する自由が、個々人に保証されている社会であったとすれば、それはディストピアなのか、と。

ゴッドマシンは超管理社会への扉を開くか？

誰か（例えば当局）に管理される不自由ではなく、自分自身を外部の力（例えばシステム）を借りて管理する自由は、ディストピアの要素なのだろうか。

オーストラリアの哲学者・生命倫理学者ジュリアン・サヴレスクと、スウェーデンの倫理学者イングマール・パーソンは、「ゴッドマシン（God Machine）」が誕生した近未来社会という思考実験を行うことで、この問題を考えている。[9]

彼らが想定するゴッドマシンは、すべての人間の思考、信念、願望、意図を監視し、人間に意識されることなく、ナノ秒単位でそれらを変化させ得るシステムである。しかし、ゴッドマシンは人間をすべての面で管理するのではなく、逆に十分な自由を与えるように設計されている。というのも、ゴッドマシンが人間に介入するのは、甚大な被害や不正を生じさせるような、不道徳な行為が発生するのを防ぐときだけだからだ。

ゴッドマシンは、例えば、ある人が殺人衝動を抑えきれなくなった場合にのみ作動し、ちょっとした嘘や不正行為、あるいは不貞など、およそ刑務所に入らねばならないような重大事以外では作動することはない。ゴッドマシンは、自律的に不道徳な行為を抑制できない場合の、「安全装置」としてのみ存在しているのだ。それゆえ、すべてゴッドマシン任せということにはならず、人間が自律性を持った道徳的存在としてあるべきことは変わらない。

以上が、サヴレスクらの想定なのだが、人間の自律性を損なわずにゴッドマシンを利用すると言われても、正直なところイメージを掴みにくい。そこでサヴレスクらは、前記に加えて「オデュッセウスとセイレーン」の神話を例に挙げ、説明を補足している。

古代ギリシアのホメロスが著した叙事詩『オデュッセイア』には、主人公のオデュッセウス一行が故郷に帰還するシーンがある。帰郷の途中、一行は上半身が女性、下半身が鳥の怪物である「セイレーン」たちの島を船で通過する必要に迫られた。セイレーンは歌声で人間を誘惑し、食い殺すことで知られる怪物である。そこで、オデュッセウスは部下の船員の耳を蜜蝋《みつろう》で塞ぎ、自身を船のマストに縛り付けることにした。島に近づくと、オデュッセウスはセイレーンの歌声に誘惑され、部下に縄を解くよう命令してしまう。しかし、部下は縄を解くどころか、より強く彼を縛り付けた。その結果、一行は、セイレーンの島を無事に通過することができたのだった。

この神話の中で教訓になるのは、オデュッセウスの命令に部下が背いたところだ。しかしここから、危機的な状況下では自主的な判断が必要だ、などと引き出してはならない。そうではないのだ。部下がオデュッセウスを強く縛り付けたのは、事前に彼がそうするように指示していたからなのである。

サヴレスクらが、この神話に言及する理由はもうお分かりだろう。オデュッセウスは、自律的に衝動を制御できない状況に陥る（セイレーンの歌声に誘惑される）可能性があったからこそ、部下に自分の要求とは反対のことをするよう指示していたのだ。サヴレスクらは、ゴッドマシンはまさにこの部下であり、部下に事前に指示したオデュッセウスは、私たち自身であるべきだと言っているのだ。この神話は、サヴレスクらが示唆するように、「自律性とは何か」という問いに関して、多くの示唆を与えてくれる（この点は、第5章でも論じる）。

オデュッセウスやゴッドマシンと同様の事例は、私たちの生活の中にもすでに存在している。例えば、目覚まし時計は耳元で鳴り響き、私たちを一定程度不快にさせる。しかしそれは、自分だけでは起きられない、つまり正しい判断ができそうにない自分を想定した上で、予め自分自身で設定しているものだ。私たちは、自分を上手く制御できない状態になることを事前に予測し、それに対処することができる。私たちは自分の意思や、自らの自律性を守るためにも、技術を利用することができるのだ。そうであれば、ＱＳやＱＲといったトラッキングの実践は、「セイレーン」の誘惑を退けるための蜜蝋であり、縛縄であるといえるかもしれない。

つまるところ、先の問いにはこう答えることができるだろう。自分自身を外部の力を借りて管理する自由は、すでに私たちが行使しているものであり、したがって、ディストピアの要素とはいえない、と。

ここまで本書を読み進めた読者には、この回答への支持を期待したいが、しかし、「何か腑《ふ》に落ちない」との声があるのも理解できる。私たちは、『ロード・オブ・ザ・リング』に登場する助言者サムを求め、トラッキング技術にその可能性を見たのだった。しかし気づけば、それはサムどころか、すべてを見渡す巨悪な「サウロンの目」になる可能性もあるのではないか。トラッキング技術は、シビュラシステムよろしく、超管理社会の扉を開くのではないか。こうした懸念が頭をよぎるのは、とてもよく理解できるのだ。

実際、研究者の中でも、セルフトラッキングは自己責任化の風潮に棹《さお》をさしたり、数字の奴隷になることを助長したり、管理社会化を推進する原動力になるのではないか、といった批判的な議論が持ち上がっている。こうした懸念や批判がある以上、私たちは、トラッキング技術と本当に上手に関わりながら、ディストピアを避けることができるのか、これを検討せねばならない。

そこで次章では、トラッキング技術にまつわる代表的な懸念と批判を取り上げ、それらの妥当性を検討することにしよう。

第4章　測定されるものは管理される

前章までにおいて、私たちはトラッキング技術を肯定的なものとして、つまり、自分自身の実践（第2章での「QS」）や他者との関係性（第三章での「QR」）を改善する可能性がある技術として論じてきた。しかし、前章の最後で確認したように、トラッキング技術は、「サウロンの目」や「シビュラシステム」のように、超管理社会の要たる技術となる可能性も指摘されている。

そこで本章では、「QS」「QR」に関する代表的な懸念や批判を取り上げ、それらを五つの論点に集約・整理した上で検討を加えることにしたい。トラッキング技術は、私たちの自律性と自由に対する、新たな脅威となるのだろうか。これが本章で検討する中心的な問いである。

考えなしの進歩――スマホへのアウトソーシング

「QS」や「QR」といった実践が世界的な広がりを見せるのと並行して、トラッキング技術を搭載したデバイスの種類も増えている。時計、指輪、ネックレスなどの装飾品は元より、補聴器や眼鏡、コンタクトレンズなどの医療器具にも最新の技術が組み込まれているものがある。しかし、そうしたものの中でも最も普及し、日常的に利用されているのは、やはりスマホである。イギリスの情報調査機関IHS Markitによる調査でも、スマホの出荷台数の世界的な推移は、この10年間で10倍に増えていることが明らかにされている。これには、二〇〇七年にAppleが発売した（日本では二〇〇八年）iPhoneが影響しているのは間違いないだろう。

スマホの利用者数の増加は、無論日本でも確認できる。総務省の「令和２年版 情報通信白書」によると、二〇一九年時点での個人におけるスマホの保有率は67・６％であり、[1] ＮＴＴドコモが行った「２０２１年一般向けモバイル動向調査」では、日本国内のスマホ・ケータイ所有者のうち「スマートフォンを所有している」とした人は92・８％であったという。[2] 所有者が個人か否かを問わなければ、いわゆる「携帯電話」を保有している人の圧倒的多数が、いまやスマホの利用者なわけである。

スマホの利用者がかくも急増している背景には、その利便性がある。スマホにはたくさんの機能が搭載されており、電話機能はもはやその一部に過ぎない。スマホは世界と繋がるための必須のアイテムなのであり、それゆえに、スマホを肌身離さず持ち歩き、スマホを触っている時間が一日の活動で最も長いということも珍しくない。

事実、「PR TIMES」社が二〇二一年に行った調査では、一日のスマホ利用時間の中央値は6時間34分であったという。これは、睡眠に匹敵する時間、あるいはそれ以上の時間を多くの人がスマホ利用に当てていることを意味している。この結果はアメリカでもほぼ同じで、大半の人が毎日約6時間をスマホ利用に割いており、今後もそれは伸びることが予想されている。[3]アメリカの連邦最高裁判所長官のジョン・ロバーツが言うように、「現代の携帯電話は、火星人が人間の解剖学上の重要な特徴だと結論づけるほど、いまや日常生活の一部として浸透しており、また定着している」のである。[4]

これらのことはすべて、先述したようにスマホの利便性に起因している。移動には地図機能、調べものにはウェブ検索、コミュニケーションにはＳＮＳなど、私たちの日常行動のあらゆることが、いまやスマホ無しにはままならない。読者もスマホ利用者であれば、きっとそう感じているはずだ。このようなスマホへのアウトソーシング（外部委託）は、スマホの高性能化によって、ますます強まっているように思う。

例えば、かつてであれば、検索するのも文字を入力するのも、私たち自身が関わる部分があった。しかし、いまやスマホは学習することでユーザーごとに最適化し、私たちの関わりすら減らしてくれる。ウェブ検索やニュースアプリを考えてみてほしい。それらは、「誰が・いつ・どこから」スマホを利用しているかを分析し、ユーザーが求めている情報や、好みのニュースを自動で示すようになっている。つまり、スマホはすでに単なる入力／出力装置ではなく、私たちの思考や行動を分析し、利用者に最適化された情報を返すことができる、そのような利器なのだ。

　イギリスの数学者で哲学者でもあったホワイトヘッドなら、このようなスマホの高性能化は文明の進歩の証だというに違いない。というのも、彼は自著で次のように主張しているからである。

> われわれは、現にしていることについて考える習慣を養わなければならぬと、すべての習字帳や演説するお偉方たちはくりかえしているが、これはとんでもない誤りを犯した陳腐な言い草である。まさに逆のことこそ正しい。文明は重要な演算操作、しかもそれらの操作について考えることなしに行うことのできる演算操作の数を増すことによって進歩するのである。[5]

　ホワイトヘッドに賛同するか否かはともかく、スマホに限らず、文明の発展によって、私たちの関わり抜きでも作動する「賢い」デバイスは今後も増えていくだろう。目的地まで送り届けてくれる自動運転車もその一つだ。そのうち、好みの食材や衣料品が自動的に購買されて届いたり、体調不良による欠勤の連絡を代理してくれたり、入力する前に言いたいことが勝手にツイートされるようになるかもしれない。こうして、私たちが自ら行わなければならない作業はますます減り、デバイスへのアウトソーシングの比率はいよいよ高まっていくのだろう。この趨勢《すうせい》が続いていくなら、代わりに勝手に働いて自動で入金してくるデバイスの、一刻も早い登場を期待したいところだ。

陳腐な言い草？——ソクラテスの危惧とその末裔

しかし、そうした、すべてが手離れする未来は残念ながら歓迎されないだろう。より確からしい未来はもっと折衷《せっちゅう》的なものになると思われる。つまり、私たち人間は、すべてをアウトソーシングできるデバイスを持ち得ても、自分たちの領分をあえて残す選択をするのではないだろうか。というのも、後述するように、現時点でさえ、利便性や効率化と引き換えに私たちは自分の能力を失ったり、人間として本来なすべきことを見失ったりしているのではないか、という危惧が持たれているからだ。ホワイトヘッドが賞賛した進歩の形は、別の者には、人間の自由や自律性の危機として見なされているのだ。

このような技術的な進歩への危惧は、しかし、技術の現段階への危惧というよりも、過去のすべての段階で生じた危惧の末裔《まつえい》だと考えられる。技術の進歩と人間性に対する危惧は、一つの事柄の両面、あるいは似ても似つかぬ双子だと言ってもいい。ここに言う「技術」は、機械的な意味でのそれだけでなく、最も広義でのそれを含めても構わない。というのも、古代ギリシアでは、「文字」ないし「書く」技術の進歩についてさえ、書かれた言葉に依存する傾向を生み出し、それによって人間の生来の能力を弱体化させるのではないか、と危惧されていたからだ。そうした危惧を端的に表現したのは、古代ギリシアの哲学者ソクラテスその人である。

ソクラテスは、弟子のプラトンが記した『パイドロス』の中で、次のように述べている。[6]

> 人びとがこの文字というものを学ぶと、記憶力の訓練がなおざりにされるため、その人たちの魂の中には、忘れっぽい性質が植えつけられることだろうから。それはほかでもない、彼らは、書いたものを信頼して、ものを思い出すのに、自分以外のものに彫りつけられたしるしによって外から思い出すようになり、自分で自分の力によって内から思い出すことをしないようになるからである。じじつ、あなたが発明したのは、記憶の秘訣ではなくて、

想起の秘訣なのだ。また他方、あなたがこれを学ぶ人たちに与える知恵というのは、知恵の外見であって、真実の知恵ではない。[7]

ソクラテスは「文字」という技術が、人間の思考力や記憶力、認知能力などを退化させるのではないかと危惧している。この技術は、人間性の知的な側面から「自律性」を引き抜いてしまうと言っているのだ。ソクラテスはまさしく、ホワイトヘッドが批判の対象としている「お偉方」、「現にしていることについて考える習慣を養わなければならぬ」と演説する知識人なのである。ホワイトヘッドは「逆のことこそ正しい」と断言しているが、ソクラテスの危惧は根強く現代にも引き継がれており、経験的にはむしろ、ソクラテスの方に分があるように感じる。

例えば、ＳＮＳの発達によって、私たちは毎日膨大な量の文字を読んだり、打ち込んだりしている。けれども、私たちはそこで触れる多くの「漢字」を、すでにスマホの自動変換機能なしには書けなくなっているのではないだろうか。読者の中にも、契約書や取引に際して手書きが必要になったときに、慌ててスマホで漢字を確認した人はいるはずだ。かく言う私も、本書を手書きで再現する自信はない。「読めるが書けない」という状態はいまや日常的な光景だといえるだろう。ダメ押しに言えば、携帯電話の番号登録機能を使うようになったことで、かつては覚えていた友人宅の電話番号や、行きつけの店や施設のそれを忘れてしまった人も多いのではないだろうか。

　こうした経験はみな、ソクラテスの危惧につながっているように思う。つまり、便利な技術と引き換えに、私たち自身の能力が退化していると言いたくなる。とはいえ、私は、ここで述べた事例程度のことなら能力が退化しても構わない。いや、むしろこれを退化だとすら思っていない。その理由は次章以降で詳しく述べるが、ここではそれに先立ってこう述べておこう。スマホがもたらす利便性や、ＱＳやＱＲによって得られるものを考慮すれば、失うものより獲得できるものの方が多いように思える、と。

　だが、技術そのもの、あるいはそれに関わる他の要因が、私たちの気づかないところで基本的な権利を侵害しているとしたら、つまり、自由に考え行動する可能性を不当に歪めているとすれば、そのときには話は違ってくる。

　ハーバード・ビジネス・スクールの名誉教授であるショシャナ・ズボフは、『監視資本主義』でこの可能性を示唆している。彼女によれば、「今わたしたちは、普及する行動修正のデジタル構造のせいで、基本的な未来に対する権利が脅かされる歴史的瞬間に直面している」という。[8]「未来に対する権利が脅かされる」というのは、ソクラテスの危惧、すなわち人間性の知的な側面から「自律性」が引き抜かれる、という危惧と呼応するものだ。さまざまな技術に媒介される情報環境の中で、より多くのタスクを効率的に処理できるようになったという点で、私たちの自由や自律性は増大したかに見える。しかし、その自由や自律性も実際には、巧妙に方向づけられ、制限されたものに過ぎないのではないか、ズボフはこう問いかけているのだ。無論、この問いは、ＱＳやＱＲといった、トラッキング技術にも直接に関わっている。

前章までにおいて、トラッキング技術を好意的に評価したからには、こうした危惧や懸念を検討することは必須だろう。この技術は好意的な評価に値するのか否か、それを見極めねばならない。そこで以下では、技術へのアウトソーシングによって生じる、人間の自由や自律性に関わる懸念や危惧をさらに掘り下げ、詳しく検討することにしよう。

自律性と自由についての覚書

検討を始めるに当たり、自由や自律性について、その意味するところを簡単に確認しておこう。「自律性」の定義はいくつかあるが、人間性との関係で言えば、一般的には自分自身であること、自分自身のものと見なされる理由や動機に従って、自分の人生を生きることを意味している。つまり、自律とは、独立や自立した状態であり、自らが自分の意志で自分を律して生きることである。

ドイツの哲学者イマニュエル・カントは、このような意味での自律性を最も厳しく定義した人物だ。カントにおける自律性とは、他者や神に盲従してはならないだけでなく（＝自己決定としての自律）、自らの欲求に従うこともなしに、自ら定めた理性的な規則に従うことを意味する。この厳格な定義は特に「カント的自律性」と呼ばれる。

自由の定義も自律性と同様に、いくつかのバージョンがある。例えば、イギリスの哲学者アイザイア・バーリンは、自由を「消極的自由（negative liberty）」と「積極的自由（positive liberty）」に類別して説明している。これは人文まわりでは大変有名な説明なので、知っている読者も多いだろう。改めてざっくりと説明しておくと、消極的自由は、行動・選択が誰にも干渉されないこと、つまり「〜されない自由」を意味し、積極的自由は、ある行動・選択を主体的に行えること、つまり「〜への自由」を意味している。積極的自由は、消極的自由が確保されている状態から、さらに次のステップに踏み出すための自由だと考えることもできる。要するに、消極的自由と積極的自由は概念上の、つまり説明上の区別であって、私たちが通常「自由」というときには、これらの両方が含まれている。そこで本書では、行動や選択が妨げられず、望み通りにそれをなし得る状態、それを自由の一般的な定義だとしておこう。

本書では、自由や自律性という場合には、特に断りのない限り、以上で見たような一般的な定義を念頭に置いている。これから検討するトラッキング技術に対する批判的な見解に関しても、各議論の中に登場する自由や自律性は、一般的な定義に基づいていると考えてもらいたい。

①新自由主義化

フーコーの「生政治」

ＱＳやＱＲに関する懸念の一つ目は、それらは公的・社会的な支援や解決策を阻害し、個人的に責任を取ることを奨励する、新自由主義的な価値観や政策を反映したものに過ぎない、というものである。ここに言う「新自由主義」という言葉の意味は、論者によって多少異なるところがある。市場嫌い、競争嫌いの論調の中には、市場や競争に対する単なる非難の言葉として用いているに過ぎず、具体的に何を指しているのか、ほとんど分からないものもある。しかし、そうした非難も含め、おおよそ共通する意味を採れば、社会の全面的な「経済化」と、それによる「自己責任化」を指すといえる。

この二つの傾向を念頭に、先の懸念を翻案すれば次のようになるだろう。すなわち、トラッキング技術には、私的な事柄と社会的な関係の双方を「経済化」する論理と、それに伴う「自己責任化」の論理が反映されている。したがって、ＱＳやＱＲの拡大は、この技術を使用せざるを得ない状態が生み出されていることを示している。つまり、この技術は「新自由主義化」を体現すると同時に、助長してもいる。

このような、「新自由主義化」にまつわる問題を考えるときには、フランスの哲学者・歴史学者のミシェル・フーコーが提唱した「生政治《せいせいじ》」という概念が役立つだろう。そこで「新自由主義化」を検討する前に、少しだけ「生政治」について確認しておこう。

生政治とは、私たちの生命を管理する統治技術のこと、平たく言えば、生きている人間の扱い方をめぐる政治のことだ。直近の出来事で言えば、新型コロナウイルスへの対策として、ワクチン接種を国民全員に行き届かせることがそれである。

フーコーが明らかにした生政治の要点は、「生かす権力」の作動だということ、つまり、生政治は「権力＝抑圧」という古典的な権力の作動ではなく、人びとの積極的な受容を引き出すような、より高度な統治の方法論だということである。

この生政治という見方は、私たちの「政治」に対するそれとは大きく異なっている。「政治」は、通常、議論したり投票したりすることを含め、私たち自身による自律的な営みとして理解されているはずだ。それは西洋政治思想史においても同様で、社会契約論から議会制論を経て、現代の立憲民主政論へと至る道筋でも、「政治」とは理性的・自律的な諸個人の営みだと考えられている。

しかし、生政治を念頭にフーコーが描き出す「政治」の展開は、このような理解に沿うものでは決してない。それは諸個人の自律的な営み以上の、あるいは以外の、生かす権力の作動としての「統治」の歴史に他ならない。この歴史に照らせば、「政治」は必ずしも自律的な営みとはいえない。それはむしろ、高度な統治によって水路付けられ、調整されてきたものなのだ。

フーコーがこうした記述を批判的な意図の下に行ったのか否かは、議論の余地があるように思う。ある論者はそれを規範的なものとして、また別の論者はそれを純粋に記述的なものとして解釈しているからである。本書ではそこには立ち入らないが、「生政治」という見方を引き継ぐ者の中には、現状を批判する理論的な道具とする者が多いのは確かである。新自由主義化との関係でもそれは当てはまる。

例えば、アメリカの政治哲学者のウェンディ・ブラウンは、フーコーの描く「政治」の歴史を念頭に置きながら、新自由主義を「統治（性）」として、すなわちガバナンスの技術として再定義し、次のように批判している。

> ガバナンスの技術は階層的形態あるいは国家集権的形態に結びつけられた技術よりも民主的であると、それを支持する者はつねに主張するが、ガバナンスの技術の内部、あるいはより一般的には新自由主義の価値目録の内部には、デモスやデモスの政治活動……のための場所は、単純に存在しないのである。さらには、政治的なものが経済化され、公的言説がガバナンスで充満されることによって、デモスと主権のカテゴリーがともに抹消されるかぎり、人民主権の価値は――その読解可能性ですら――消されてしまう。[9]

いささか込み入った記述だが、つまるところ、ブラウンは「政治的なものが経済化」することで、「政治」が、ガバナンスの技術としての「統治」に置き換えられてしまうことを批判しているのだ。彼女によれば、新自由主義的な統治は、現代の自由民主主義の中核である人民主権、自由選挙、政治的自由、平等を攪乱《かくらん》するだけでなく、その実践と制度を空洞化し、他のいかなる民主主義の形態の基礎をも枯渇させてしまう。そして、「統治」が「政治」に置き換わるときには、「政治」の担い手である主体もまた、大きな影響を受けることになるという。

例えば、高等教育機関は、かつては人びとに教養を与え、政治的主体である「公衆」へと育てた。しかし、いまでは過酷な競争社会を勝ち抜くための知識や技能を与え、人びとを専《もっぱ》ら「人的資本」として育てている。彼女はこう指摘し、理性的・自律的な政治的主体であったはずの私たちが、新自由主義の下で、自らを「人的資本」として理解するようになっていることを嘆いている。ブラウンはまた、この自己理解の変化が、「自己責任」の論理が社会生活全般に浸透するのを助け、それを進んで受け入れるための素地にもなることも危惧している。[10]

「政治」が真っ当に機能する民主的な社会では、能力や資質などの個人的な特質も社会全体が育むものであり、個人だけの努力に帰されるものではない。また、人生の好転や暗転は、本来的に個人の特質にだけ起因するわけではないゆえに、個人がすべての責任を負うべきものでもない。こうした民主的な社会の基礎的な事実が、新自由主義化した社会では失われてしまうと、ブラウンは主張しているのだ。

「自己管理」が社会から求められるとき

このような新自由主義に対する批判は、トラッキング技術との関係では、とりわけ次の二点が注目される。一つ目は、新自由主義化した社会の中で、私たちは「人的資本」として評価されているということ、つまり、私たちはさまざまな点で、資本としての価値があるか否かを「測定」されているということ。そして二つ目は、私たち自身が、このような測定主義に甘んじており、自分の評価を上げる努力を惜しまず、また評価の結果も自分の責任として引き受けている、あるいは引き受けざるを得なくなっている、ということである。

このような理解がどこまで妥当であるかは、もしかしたら、意見が分かれるかもしれない。そもそも、このような状況は本当に生じているのか、デフォルメされすぎているだけではないか。あるいは、こうした状況が起きているとして、それは本当に批判されるべきことなのか。この状況は新自由主義にのみ特徴的なことなのか。こうした疑問も無いではなかろう。

しかし、個別のトピックに焦点を絞れば、ブラウンの批判は、トラッキング技術に関係づけても、相応の説得力を持つように見える。

例えば、「健康」は私的な関心事であるだけでなく、社会的な評価の対象にもなっている。そのため健康であり続けること、少なくとも不摂生しないように自己管理することを、私たちはすでに当然の義務として積極的に引き受けている。体重管理、血圧管理、睡眠管理、糖質管理、脂質管理……、読者もすでに多くのことを積極的に管理しているのではないだろうか。そして、そのような管理の動機には、家族や勤め先に迷惑をかけたくないという思いが、少なからず含まれているのではないだろうか。

　こうした自己管理やその動機づけに多大な影響を及ぼしているのが、ステータスの可視化や評価を可能にするトラッキング技術であることは論を俟《ま》たない。この技術には、利用者に行動を改善するよう促す目的があるのだから、動機に作用するのは当然だ。暴飲暴食をした翌日に数値が悪化しているのを見れば、嫌でも自責の念にかられ、「健康的な生活を送らねば！」と束の間反省することになるのである。

　このように動機づけに作用し、行動変容を促す技術は、それが置かれる文脈によって、ときにポジティブに、またあるときにはネガティブに評価される。これは、自発的にその使用を望むのか、それともそれを強いられるのか、といったニュアンスと関連している。後者であることが明らかな場合には、倫理的な問題を指摘しやすい。しかしながら、先述のフーコーやブラウンの議論のように、知らず知らずのうちに「そう望むように方向づけられる」という含みがある場合には、問題の所在を明らかにするのも、それを適切に評価するのも骨の折れる作業になる。

次章で述べるように、「方向づけ」自体は決して悪ではないのだが、自由や自律性という概念を迂闊《うかつ》に持ち出すと、それをことごとく問題視せざるを得なくなり、場合によっては陰謀論に近づいてしまう。

その意味では、トラッキング技術に関する多くの著作がある、オーストラリアの社会学者のデボラ・ルプトンの議論も微妙なところがあるように思う。彼女は、セルフトラッキングを五つのモードに分類し、それぞれを評価しているのだが、トラッキングの動機が実践者に属する場合は「妥当」、外部からもたらされる場合は「不当」と評価するきらいがある。[11]

しかし、こうした評価には無理があり、かつ好ましくもないだろう。というのも、第一には、どのようなことであれ、何かを為す「動機」を実践者の内側と外側に区別できるとは思えないからだ。私たちが体裁を気にして身繕いするとき、その動機は「外側」にあり内側に無いといえるだろうか。私たちが老化に抗しようと身体を鍛えるとき、その動機は「内側」

にあり外側に無いといえるだろうか。次のような事例も考えられる。

攻撃衝動を抑えられない人の場合、その人が暴力を振るう動機は、その人の内側にあるといえるかもしれない。しかしだからといって、加害が「妥当」であるはずはなく、その衝動を抑える動機が外側からもたらされたからといって、制御が「不当」であるはずもない。

ＱＳやＱＲが「新自由主義化」との関連で問題になるのは、それが外部から「方向づけ」る技術であるということではなく、社会的な支援や救助を省くための口実にされやすいということだ。「自己責任化」の風潮、これが問題なのだ。

読者にも経験者がいるかもしれないが、「過体重」や「肥満」であると、自己管理ができない怠惰な人間だという評価を受けやすい。とりわけアメリカでは、一九七〇年以降、肥満者が急激したことを背景に、このような評価が一般化したらしい。文化人類学者の碇陽子によれば、「アメリカでは、風邪などの症状で病院に行っても、太っている人なら、とにかく痩せなさいと言われることが多（く）……具合が悪いことは肥満に結びつけられ……健康保険にも入れない」という[12]。

近年では、アメリカでも体型の多様性を認め、受け入れようという「ファット・アクセプタンス運動」（肥満受容運動）が盛んなのだが、このような運動が必要になるほど、体重と体型は自己管理の問題だと見なされているともいえる。[13] このような風潮の中で、ＱＳが重宝されるのは想像に難くない。

「自己責任化」の風潮は、無論、アメリカだけのものではない。元フジテレビのアナウンサーの長谷川豊が、「自業自得の人工透析患者なんて、全員実費負担にさせよ！無理だと泣くならそのまま殺せ！今のシステムは日本を亡ぼすだけだ!!」と題したブログを発表し、大きな問題となったのは、つい五年ほど前のことだ。

日本はすでに六十五歳以上の人口の割合が、全人口の29％を占める超高齢社会であるために、従来の医療制度、保険制度では対応しきれない問題が生じてくるのは事実だ。けれども、その負担の切り下げのために、病気を全面的に自己責任化するのは明らかに行きすぎである。長谷川の発言は批判されて当然だ。

しかし、この発言ばかりが問題なのではない。この国の自己責任化の風潮は、アメリカのそれよりも数段厄介で、健康管理をすべて個人で引き受けて長生きしたところで、それすら非難の的になることがあるのだ。つまり「病気になるな」、だが「長生きもするな」と言われることがあるのだ。それを証拠に、長谷川の発言と同年の二〇一六年六月一七日、当時、財務大臣だった麻生太郎は自民党支部大会の講演でこう言っている。

> 90歳になって老後が心配とか、訳の分からないこと言っている人がテレビに出てたけど、いつまで生きてるつもりだよと思いながら見ていた。

この発言の背景には、国内に１７００兆円を超す個人金融資産があること、その所有者の多くが高齢者だということがある。つまり麻生は、高齢者は経済を刺激するためにもっと金を使え、さもなくば使える人に回せ、と言っているのだ。

この麻生の発言や先の長谷川の発言は、どちらも「社会に迷惑をかけるな」というのが主旨である点では、まったく同じだと言っていい。「経済」を何より重視すること、その障害になると見なすものには「自己責任」の論理を押し付けること。これらが念頭にあるとすれば、彼らは、まさにブラウンらが憂慮する「新自由主義化」を体現しているといえる。

ＱＳやＱＲが、この風潮の中に置かれていることは間違いない。とはいえ、ここまでの長い助走で述べたように、注視すべきは技術が置かれる個別の文脈の方である。しかるに、トラッキング技術が自己責任化の風潮の中にあるからといって、それが直ちに「新自由主義化」を体現し、助長するものだといえるかは大いに議論の余地がある。この点については次章に譲ろう。

②測定–管理化

「測定できるものは改善できる」か？

ＱＳに関する二つ目の批判は、「測定–管理化」への批判である。

私たちの感情や行動を感知するセンシング技術が高度化しているといっても、それが感知し得ることは依然として限られている。それゆえ、トラッキング技術によって集められるデータも、私たちの活動のごく一部でしかない。毎日の睡眠時間やその質を計測していてもそうである。なぜなら、センシングというのは、予め設定した対象・項目を計測するものであって、すべてを丸ごとデータ化するものではないからだ。

にもかかわらず、私たちはしばしば数値やデータを計測対象のすべてと錯覚したり、唯一無二の事実と誤解したりしてしまう。そうなると、他の可能性は一顧だにされなくなり、計測結果だけが物事を左右する力を持つことになる。先ごろ巷では、経験にではなく、データに基づく意思決定が必要だとして、「データドリブン（Data Driven）」という言葉がちょっとした流行になっているが、これとて同じだ。

それはどういうことか、教え子から聞いた話を例に説明しよう。その教え子が勤める小売企業では、商品開発はいつも数人のベテラン営業マンの肌感覚に頼っていた。肌感覚ではあるが、勝率は決して悪くなかったらしい。しかし、事業利益の低迷が続いたある日のこと、業を煮やした社長が肌感覚ではダメだとして、大きな費用を投じて、有望な商品を見極めるための売上データ分析システムの構築を決定した。満を持してのシステム開発だったが、その結果は散々なものになった。売上データは一定期間の蓄積が必要なので、そのデータの分析結果はいつも市場の変化を後追いする格好になったからだ。システムが有望だと判断した商品が店頭に並ぶ頃には、市場のニーズはすでに変化していたのだ。そのため業績はさらに悪化し、ベテラン営業マンは辞めてしまい、会社の規模は半分以下になったという。

データに振り回され、囚われた結果、元も子もなくしたわけだ。ＱＳへの二つ目の批判は、まさにこの点に関連している。つまり、計測されたデータには私たちの行動の向きを変える潜性力があるとしても、その向きは必ずしも正しいとは限らないということである。行動を間違った方向に誘導するなら、そのようなデータの測定や評価は役立たないどころか有害だ。

このようなことになるのは、先述の通り、質よりも量に固執し、数値やデータを錯覚したり誤解したりするためである。経営学者のピーター・F・ドラッカーが言うように「測定できるものは改善できる」なら良いのだが、現実はそう容易《たやす》くないのだ。

よい教育とは何か？――EdTechへの疑義

教育学者のガート・ビースタによれば、教育もその例外ではないようだ。彼はこう指摘している。[14]

> よい教育についての問いが、別の言説に置き換えられてしまっているとも考えている。そのような言説は、しばしば、教育の質についてであるかのように見える――たとえば、教育の効果性や教育における説明責任についての議論を思い起こそう。しかし、実際には、よい教育そのものについての問いには決して向き合っていない。それらはむしろ、よい教育についての規範的な問いを、プロセスの効率性や効果性についての技術的で管理的な問いに置き換えているのであって、これらのプロセスが何のためにあるのかという問いではない。[15]

ビースタは、人びとの「よい教育」への理解が教育の「価値」ではなく、教育の「効率化や効果」など、管理的な側面に偏重気味であることに疑義を呈しているのだ。彼の言い方を借りれば、教育への人びとの関心が「なぜ（why）」ではなく、「どのように（how）」に偏重していること、このことへの疑義である。

この疑義は、メリトクラシー（能力主義）が幅を利かせる社会、つまり能力の程度によって社会的地位が決まるような社会への批判として、半世紀以上前からある議論と軌を一にするものである。要するにこれらは、主として社会や教育の制度上の問題を指摘しているのだ。しかし近年では、これにテクノロジーへの懸念が合流し、いささか込み入ったことになってきている。

というのも、電子黒板やタブレットなど、教育への新たなテクノロジーの導入が進み、エデュケーション（Education）とテクノロジー（Technology）を掛け合わせた「エドテック（EdTech）」が台頭してきていることで、教育の「効率化や効果」への偏重に拍車がかかっているからである。

EdTech の台頭の背景には、データドリブンによって教育者や学習者の実践を「最適化」

するという謳い文句の下、民間業者が強力に市場を開拓してきた経緯がある。実際、EdTechの市場は、いまでは7兆ドル以上の価値があると推定されており、Pearson、Cengage、McGraw Hillなどの多国籍企業がしのぎを削る、収益性の高いビジネス領域と目されている。[16]

新型コロナウイルスの影響により、インターネットに接続したデバイスを利用して行う、いわゆる「オンライン授業」が世界中で実施されるようになったことで、EdTechが一段と受容されやすい環境が整ったことは間違いないだろう。それは授業だけではなく、受験（試験）に関してもそうである。これまでは試験と言えば、試験監督が目を光らせる会場で一斉に受けるのが常だった。しかし近年、急速に進化を遂げているコンピュータ適応型テスト（CAT：Computer Adaptive Testing）を用いれば、試験監督はもはや不要である。というのも、CATは受験者の能力とテスト項目のマッチングを「最適化」するだけでなく、受験者の認知的・感情的な側面を測定し、解答時間に関するデータを収集することで、不正行為を検出することができるからだ。

EdTechは、認知能力に関する「知育」だけではなく、身体能力に関する「保健体育」にも進出している。アメリカでは、アクティビティトラッカーやバイオセンサーを用いる電子保健体育（eHPE：electronic health and physical education）と呼ばれる教育実践も始まっている。生徒や学生にウェアラブルデバイスを装着させ、学習時間や運動時間を測定し、そこから個々人の最適な勉強環境を割り出して、成績向上を目指すというのが主な内容だ。

このようなEdTechの活用によって生徒や学生の成績が向上するなら、それは大いに推進されるべきだと思う読者もいるだろう。かくいう私自身もそう思うところがある。EdTechの活用は、これまでの教育管理や形式的な教育環境に代わる、新たな実践になる可能性は十分にあると思うのだ。

しかし、それはあくまで可能性の話であって、無条件にそうなるということではない。先述の教え子の話のように、データに振り回され元も子も無くすという結果も当然あり得る。それはおそらく、次に述べるような事実を放念するときだろう。

EdTechは、認知・心理・身体などの活動や状態を測定することを基礎とする限り、本来的に測定可能な事柄に制約されている。さまざまなことを測定できるように見えても、測定結果から分かることは決して多くはないのだ。これは技術の制約と言うよりも、測定すること自体に内包された制約である。

例えば、一般的な時間制限のある試験での得点は、設問の内容に関する受験者の理解度を示している、と私たちは考えがちだ。しかし、その考えは正しいとは限らない。というのも、その点数は時間制限に鑑みて、時間のかかる問題をスキップしたり、テクニックを用いて効率的に解答したり、あるいは注意力や集中力といった精神的な資源を動員する、そのようなスキルの有無や程度を反映したものでもあるからだ。繰り返せば、時間制限のある試験は、実際の適性や知識よりも、不安を感じる状況に対処する能力を測るものなのである。そのためアメリカのいくつかの州では、専門知識の内容理解の度合いを評価する必要のある試験（司法試験や医師国家試験など）では、時間制限を課さないところもあるほどだ。測定結果には、知りたいことのすべてが含まれているわけではない。それは予め定めた目的のためにのみ、制約的に利用されるべきものだ。

この事実は、EdTech は教育実践の部分を補完するものでしかなく、そこにおいてのみ価値があるということを意味している。これはよく理解しておくべきことだ。しかし、私たちは EdTech の制約をすぐに忘れ、測定し得ない事柄までも測定しようとしたり、あるいは測定できたことにしたりする、という間違いを犯してしまう。時間が足りずに良い点数を得られなかった受験者を、すぐに理解不足だと臆断《おくだん》してしまうのだ。

ビースタが、先の引用で「規範的な問いを……技術的で管理的な問いに置き換えている」

と言っているのは、このようなことを指している。「よい教育とは何か」。ビースタは、教育制度は改めてこの問いに向かい合う必要があると言っているのだ。

この問いを忘れがちなのは、しかし、教育制度だけではない。それを陰で支える「教育家族」においても同様だ。教育学者の神代健彦は『「生存競争《サバイバル》」教育への反抗』で、教育が社会を上手く生き抜くためにサバイバル・メソッドして捉えられ、世界という広大な可能性に邂逅《かいこう》するための方法ではなく、社会という狭量な事実性にばかり適応するための手段になっていることを憂慮している。[17] このような状況においては、狭くはEdTechが、広くはトラッキング技術が、「社会への適応」の片棒を担ぐのではないか、という懸念が生じるのも無理からぬことかもしれない。

データに基づく人間関係の最適化——格付け社会への危惧

これまでに述べたことに照らせば、「測定–管理化」という懸念は、ＱＳを考える上では重要な論点だということが分かる。この論点は、ＱＳのポジティブな可能性を広げていく上でも、十分に考慮に入れる必要があるといえる。

しかしながら、測定し管理することがすべて間違っているわけでも、いつでもネガティブな結果を招くわけでもない、と理解しておくことも必要だ。期待も憂慮も、どちらも過剰なのは困りものだ。したがって、「測定–管理化」への反論も検討するべきだが、それは次章のために取っておこう。

以下では、QRに関する「測定–管理化」の弊害についても見てみよう。QRは、対人関係を改善・管理することを目的した実践だが、測定結果に基づいて、関係性を効率化することにはどのような問題があるだろうか。ここでは、子ども（の教育）から大人（の交際）に考察の対象を移し、大人同士の関係、中でも質的な意味での「大人の関係」を考えよう。

読者は、「大人の関係」という表現には性的な意味合いが含まれるのを理解しているはずだ。QRにも実際のところ、性的な関係の改善・管理が含まれている。セクシュアリティ（性）は、喜びとウェルビーイング（良好な状態・幸福・安寧・福祉）の源であり、全体的な充足感や満足感に寄与するものなので、それが身体的、情緒的、精神的、社会的に良好な状態になるようにすることは望ましいことだ[18]。その一環として、お互いの同意の下で性的関係を充実させようとする取り組みは、関係を結ぶ両者にとって、その関係を維持したり、好転させたりする良い機会になるかもしれない。

前章でも取り上げた「セックス追跡アプリ」は、名目上は、こうした取り組みを支援するものだ。このアプリには多くの場合、セックスの持続時間、ピストンの突き上げ回数や、喘《あえ》ぎ声の声量など、セックスに関するさまざまなデータを数値化し、「最適化」を促す機能が備わっている。

読者がここで感じるだろう疑問の一つは、これらのデータを基に何が「最適であるか」をアプリが示すことは本当にできるのか、ということだと思う。データを見ながら、セックスの時間や突き上げ回数の増減を目指すことは、セックスの「最適化」なのか。世の中の平均や理想とされるデータを目指せば、関係は本当に幸福になるのか。

言うまでもなく、セックスはスポーツやフィットネスではない。仮にそう見なすとしても、セックスがお互いにとって何であるか、どのような状態が「良い」のかは、二人の間で決めるべきことだ。それにもかかわらず、平均や理想の数値を目指し、パートナーと次のような会話をしなければならないとしたら、どうだろう。

「ちょっとあなた、早かったんじゃない？　平均よりも時間が短いわ」

「いや、でもピストン回数は平均以上だったよ。それを言うなら、君ももっと声を出してくれないと……」

果たして、このような状態が良好な関係を築いているといえるだろうか。こうした状態は、手段と目的を取り違えた結果であるのは明らかだ。QRにおける「測定-管理化」への懸念は、お互いの関係を改善・管理しようと測定結果を参照するほど、関係それ自体が内破されてしまうのではないか、そうしたことへの懸念なのである。

この懸念は大人の関係だけではなく、より広い意味での「大人同士の関係」にも生じる。肉体の健康や精神的な幸福が「人間の価値」としても注目される状況では、身体的・精神的な状態が良好になるか否かという観点で、対人関係を管理しようという発想が出てくる。つまり、価値のある人間として評価されたいという願望に基づいて、戦略的に誰と付き合い、誰と付き合わない、ということを考えるようになるのだ。無論、こうした発想はかねてからある。しかし、これがQRにより際立ち、当然視されるようになるなら、社会はいまとはまったく異なるものになるだろう。

この懸念は決して杞憂《きゅう》ではない。事実、中国では政府主導の下、人間を価値付けする目的でQRが推進されているのだ。中国の情報・通信大手「アリババ」の傘下にあるアントフィナンシャル社が運営する「芝麻信用（ジーマ信用）」はその代表例である。

アントフィナンシャル社が提供する、スマホを用いた決済アプリ「アリペイ」には、次の五つの観点からユーザーの「信用度」を格付けする機能がある。

①年齢や学歴や職業などの属性
②支払いの能力
③クレジットカードの返済履歴を含む信用履歴
④ＳＮＳなどでの交流関係
⑤趣味嗜好や生活

芝麻信用では、高得点であるほどさまざまな特典が付与される仕組みとなっている。そのため人びとは高得点を望み、そうなるような対人関係を築こうとする。それを見越してか、このサービスの中には高得点者限定のマッチング機能まで用意されている。社会的に信用度の高い人だけが交流できる環境や、対人関係が数値化され得点源となる社会では、社会全体の相互扶助が大きく損なわれる可能性がある。[19]

このような中国の状況は、イギリスのテレビドラマ『ブラック・ミラー』を彷彿とさせる。

Netflixでも視聴できるので知っている人も多いと思うが、『ブラック・ミラー』は、近未来のテクノロジーがもたらす諸問題を描いた作品である。その中の一つ、シーズン3（二〇一六年）の第1話「ランク社会」は、まさに自分の行動が常に点数化される社会を描いたものだった。

「ランク社会」では、笑顔で会話しなかったり、低評価の人物と交流したりすると自分のランクが下がってしまうのだが、シリーズの作成者であるチャーリー・ブルッカーは、あるインタビューで「私たちはランク社会のアイデアを中国政府に売ったりはしてませんから（笑）」と冗談を飛ばすほど、中国の現状はこれに近いのだ。[20]

この作品が示唆するのは、「測定‐管理化」が常態となった社会では、コミュニケーションですら本質的な価値を失い、得点のための手段に成り下がるということだ。この点に鑑みれば、「測定‐管理化」という批判は、測定された指標が状況や関係の全体であると誤解され（あるいは還元され）、その指標のみを通じて管理されるようになるのではないか、と憂慮するものだといえる。

③交換-互酬化

打算的な「思いやり」――「思い」か、「結果」か

「測定-管理化」はこれに付随する、別の問題を生む可能性もある。本書では、これを「交換-互酬化」の問題と呼ぶが、それは次のような問題だ。

いま仮に他者への支援の有無や程度が測定され、その測定結果に応じて自分が優遇される社会になったとしよう。そうすると、他者への支援はいまよりもずっと活発になるだろう。事情を知らない人が見れば、この社会やそこに暮らす人びとは、とても道徳的だと思うはずだ。しかし、それは善意とは異なる、もっと打算的な動機の結果である。

この社会では、心ある人びとも次第に打算的になり、他者への支援をはじめとする道徳的な行為は、見返りを求める行為にとって代わられてしまうかもしれない。こうなると、社会関係は経済関係と同一のもの、つまり交換ベースの互酬関係に跼蹐《きょくせき》し、社会関係の「内在的な価値」も、「道具的な価値」に上書きされることになるだろう。

これは、フランスの哲学者のジャン・ジャック・ルソーが「憐《あわ》れみ（pitié）」と呼んだ、他者の不幸に心を痛めるような内発的で純粋に利他的な感情が、見返りを求める利己的な欲

望に打ち負かされた状態だ。通常、私たちは、憐れみの情に動かされて思わず手を差し伸べる行為を尊いもの、つまり「内在的な価値」があるものと見なしている。しかし、そのような行為も自分の利益を得るための手段（道具）になるなら、そこには「道具的な価値」しか見出せなくなるだろう。

　このような事態は、親密な関係ですら打算的なものに変えてしまうかもしれない。恋愛関係や夫婦関係が良好かつ健全といえるのは、互いが条件なしに「信頼」し合っているときだ。そのときには、二人の関係は両者にとって内在的な価値がある。他方、相手の社会的地位や年収などへの「信用」に基づく関係は、少なくともどちらか一方には、道具的な価値が見出されているはずだ。このような関係は「信用」の条件が崩れると、往々にしておわりを迎えることになる。親密な関係も「測定-管理化」の下で貢献を量的に測られたり、見返りを条件とする「交換-互酬化」にさらされたりすると、欺瞞的なものに変質してしまうかもしれない。

　この懸念は分かるが、とはいえ、少々大げさではないかと思う読者もいるはずだ。しかしながら、「交換-互酬化」は社会福祉の中にも浸透しており、決して突飛なものではないのだ。ボランティアや地域貢献の現状を一瞥すれば、このことは容易に知れる。

読者も知っての通り、国や自治体は、地域社会への貢献としてボランティアを推奨している。厚生労働省は平成一九年（二〇〇七年）、各自治体における介護支援ボランティア活動に対して、換金可能なポイント等を付与する「介護支援ボランティア制度」を始めた。これは六十五歳以上の高齢者が、要介護の高齢者を介護支援するボランティアに従事した場合、つまり「老老介護」を行う場合にポイントが付与される仕組みである。[21] 各自治体が事業として取り組んでおり、東京都千代田区では「介護保険サポーター・ポイント制度」、足立区では「元気応援ポイント事業」、そして神奈川県相模原市では「さがみはら・ふれあいハートポイント事業」などと呼ばれている。

同様の取り組みには「地域ポイント制度」というものもある。これは、地域のイベントへの参加や、スタッフとしての活動に対してポイントを付与するもので、介護や地域への貢献を促す目的で整備された制度である。[22]

これらの制度について読者はどう思うだろうか。

これらは確かに、介護やボランティア、あるいは地域社会に参加・貢献する意欲を喚起するかもしれない。けれども、それはルソーが重視した憐れみの情とは異なる、別の動機を鼓舞することにはならないだろうか。介護やボランティアが、打算的なものにはならないだろうか。「交換‐互酬化」を懸念する者は、おそらくこう心配するはずだ。

私は、ボランティアは無償であるべきだとは思わない。しかし、「測定‐管理化」という文脈の中で、ボランティアにポイントという見返りを返す制度は、ボランティアの内在的な価値を、道具的な価値に変質させる可能性があるようには思う。これは難しい問題で、善意こそが重要だと考える立場、すなわち「義務論」を採れば、「交換‐互酬化」は許し難いことになるし、結果こそが重要だと考える立場、つまり「功利主義」を採れば、それは合理的な戦略として評価できるものになる。思いか、結果か、それを問うのは難しいのだ。

本書のテーマからすれば、この問題には第三の立場、つまり行為者の人柄や思慮深さ、そしてその涵養《かんよう》を重視する、「徳倫理」の観点が重要だといえるが、具体的な内容はもう少し先で述べよう。ここでは、「交換‐互酬化」から派生する、相互信頼の毀損《きそん》という問題にも触れておこう。[23]

親密な監視――「信頼」か、「信用」か

先程も述べたように、親密な関係は互いの信頼を前提にしている。ここに言う「信頼」は、条件なしに信じるという意味だ。しかし、この前提が「交換‐互酬化」によって信用に置き

換わると、「信用」に値するか否かを始終確かめねばならなくなる。監視機能が搭載されたQRアプリはそのための格好の手段だが、このアプリは信用の担保に役立つよりは、むしろ反対の結果を招きやすい。というのも、アプリによって普段と違う行動を見つけると、些細《ささい》なことにも疑心暗鬼になり、相手を常に疑いの目で見るようになるからだ。

社会学者のデボラ・ルプトンは、このようなQRは「強制されたセルフトラッキング（imposed self-tracking）」であると言っている。[24] 強制されたセルフトラッキングは、元々は、保護観察や仮釈放監視、薬物中毒プログラム、児童監護など特別な事情がある場合や、従業員の健康や仕事の生産性を向上させようとする場合など、トラッキングの仕様が義務化される場合を指す概念なのだが、それが親密な関係にも入り込んでいるというのだ。

というのも、親密な関係では特に、相互監視アプリを拒否すること自体が「何か知られたくないことがあるのでは？」と、相手方に疑念を生むことになるので、事実上、拒否することが難しいからである。監視を拒否する自由、つまりQRからの自由（消極的自由）を、親密な関係では主張し難くなっているのだ。このような「交換–互酬化」から派生する、相互信頼の毀損という問題を念頭に、アメリカの社会学者であるカレン・レヴィは、「親密な監視」と題された論文の中で次のように問いかけている。[25]

デジタル記録は、道徳的に中立に見える新たな説明責任の場を作り出し、社会的な信頼を奪う可能性がある。信頼は、長い間、親密な関係の不可欠な基盤であり、向社会的な行動の重要な動機となってきた。もしパートナーが、パートナーへの忠誠心からではなく、デジタル技術によって「密告」されることを恐れて忠実であり続けるとしたら、忠実さは長年の社会的・感情的な意義を維持できるのだろうか。[26]

また、アメリカの心理学者であるイーライ・フィンケルも、親密な関係をＱＲなどによって定量化することに対して、それは最終的に親密な関係の基盤を損なうような、「交換の精神」を助長し、最終的にはロマンチックなジェスチャーの意味を失わせる可能性があると指摘している。[27] 信頼が信用に置き換わった関係は、親密さを内破してしまうというわけだ。

「測定–管理化」という懸念については、技術が置かれる個別の文脈に注視すべきだと述べた。「交換–互酬化」という懸念も基本的には同様のことがいえる。しかし、「信用」に値するか否かを確かめる手段としてのＱＲが、それを必要とする場面それ自体を生み出している、という点には注意が必要だ。そのような、ある種のマッチポンプが生じるのは、「測定–管理化」がQSを中心とするのに対して、「交換−互酬化」が対人関係を管理・改善するQRを中心とするためだ。QSでは、それをどのように用いるかは自分自身が決められる。しかしQRでは、親密な関係がQRを拒否し難くするように、相手がいることによって自由度が下がり、QRの仕様のままにお互いの関係を再定義せざるを得なくなるのだ。親密な関係がQRの仕様に閉じ込められる、と言ってもいいかもしれない。

ユーザーがアプリを方向づけるのではなく、アプリがユーザーをそうする、という逆転が起こりやすくなるのだ。この点をさらに突き詰めると、アプリ提供者（サービサー）の思惑という論点が見えてくる。

④市場−商品化

消えないプライバシーへの懸念

すなわち、「市場−商品化」という論点だ。アプリやサービスの大半は、基本的には商業目的で作成されたものである。そのため、それらは利用開始時には無料でも、利用の継続や機能の追加などには課金せねばならない仕様になっている。このこと自体は一般的な商品やサービスの売買と変わりがないので、直ちに問題にはならない。「市場–商品化」の問題は、この先にある。

「市場–商品化」への懸念は、直接的にはユーザーの個人情報の取り扱いに関するものだ。つまり氏名・性別・年齢などに加え、顔認証に用いられる顔の骨格や挙動解析による歩行の様態、購買履歴・行動履歴・閲覧履歴などの個人の活動に関する情報、さらには指紋、虹彩、声紋、ＤＮＡなどの直接的に個人を特定できるデータなどが、企業に蓄積され、ビジネスへと転用されることへの懸念だ。そしてこれに付随し、間接的だがより深刻なものとして、先述したアプリがユーザーを方向づけることへの懸念がある。

前者は、いわゆる「プライバシー」に関する懸念である。トラッキングによって得られるデータには、病歴をはじめとした重要な個人情報が含まれていることが多い。こうした個人情報が、企業に悪用されるケースが世界中で起きている。

一例を挙げよう。セックストイを販売するカナダのStandard Innovation社の事例だ。この企業は、スマホを通して振動レベル等の調節ができる「We-Vibe」というバイブレーターを販売していたが、同社は利用者に断り無く、膣内の温度や振動レベル等を収集していた。このことが明らかになり、同社は利用者から訴えられることになったが、裁判の中で同社は、データ収集は販売目的ではなく、商品が正常に機能しているかをモニタリングするためだったと主張した。しかし、シカゴの最高裁は、同意の無いデータ収集は悪質だと判断し、利用者一人当たり最高で１万ドル、総額３７５万ドルの損害賠償命令を下した。[28]

　このように、センシティブな情報が秘密裏に収集されたり、あるいは意図せず流出したりする危険性は常にある。マッチングアプリの会員情報なども、ハッキング等によって情報が流出することが世界中で起きている。それゆえ、法制度的な対策が各国で進められており、読者の多くもある程度の関心を持って、アプリやサービスの利用を判断しているはずだ。日本でも近年、個人情報保護法を改正し、個人の人種や思想信条、社会的身分、病歴、犯罪歴といったセンシティブな情報は「要配慮個人情報」として、特別な配慮を要するものと定義されるようになっている。

　しかし、こうした対策もアプリがユーザーを方向づけるという、後者の観点と関係付けると有効だといえるかは怪しくなる。というのも、法制度はあくまで不同意の情報取得を規制するものであって、同意の上のものは範疇ではないからだ。

　例えば、ＧＡＦＡと呼ばれる巨大ＩＴ企業（Google、Amazon、Facebook、Apple）のサービスは、無料・有料であるかを問わず、また当該企業のサービスだと知っているか否かにかかわらず、非常に多くの人に利用されている。ＧＡＦＡのサービスを利用するか否かは自由に決められるが、使用しないという選択のデメリットは大きい。ある記事によると、こうした企業を自分の生活から排除しようと「ＧＡＦＡ断ち」に挑んだ者たちも、結局はその難しさを思い知り、排除を諦める結果になったという[29]。

　私たちの生活はすでに、ＧＡＦＡなどの巨大ＩＴ企業にかなりの程度依存しているのは明らかだ。このような状況を批判的に見れば、「依存を強いられている」と表現したくもなる。近年、問題視されている「スマホ依存」もこのような状況の一環であり、アルコールやドラッグなどと同じく、スマホ不足は禁断症状を引き起こすまでになっている。実際、私自身も職場でスマホが手元にないことに気づくと、急に落ち着かなくなり、家にあることが分かってもスマホが気になって仕方がない。きっと読者もそうだろう。

　このような依存状態の多くは偶然そうなってしまったものだが、しかし、意図的に作り出されることもある。トラッキング技術は、この点において悪用される場合がある。

　センシングやトラッキングによる、私たちの精神的・心理的なデータの収集・分析は、うつ病の程度や進行を把握する資源になると考えられている。これを実現するための研究は、「サイコ・インフォマティクス（Psycho-Informatics）」と呼ばれる[30]。これ自体は、メンタルヘルスを良好に保ったり、あるいはその異常を診断したりするのに役立つが、残念なことに、サイコ・インフォマティクスの知見は悪用も可能なのだ。何が依存を引き起こしやすいかを知ることは、それを避けるためにも、それを引き起こすためにも使えるのである。

サイコ・インフォマティクスの弊害

後者の一つは、一部のスマホゲームに実装されていた「コンプリートガチャ」と呼ばれるシステムだ。これは、課金によってランダムでアイテム等が獲得できる「くじ引き」機能で、ボタン一つで気軽に課金ができることに加え、希少なアイテムやキャラクターを当てたいという射幸心を煽ることから、課金がやめられず、それが元で金銭問題を抱えてしまう人を大量に生み出した。そのため、この機能は社会問題化し、二〇一二年には消費者庁もコンプリートガチャが景品表示法違反に当たると発表した。事前に消費者庁の動きをメディアが報道したこともあり、各社は自主的にコンプリートガチャを終了させたが、このような課金を促す仕組みは、それ以降も手を替え品を替え登場している。

このような、中毒ともいえる課金のしすぎは、一見するとユーザー自身の選択の結果であり、したがってその責任もユーザーにあるように思える。しかし、これは偶発的なものではなく、企業が巧みな仕掛けを施すことで、ユーザーをスマホに釘付けにさせようとした結果だ。ミシェル・フーコーの言葉を借りれば、企業はサイコ・インフォマティクスを駆使して、ユーザーの「可能的行為の領域を構造化」しているのだ。

これは、フーコーが「権力関係」を説明するために用いた言葉で、本来なら、お互いに相手の行動を特定の方向に導こうとする戦略的な行為や実践を意味する。フーコーの言う権力関係は双方向的なものなのだ。しかし、サービサーとユーザーの関係は一方通行になりがちなので、その場合には「支配関係」だと考えた方がいいかもしれない。つまり、こうした問題は、企業のサービスに囲われた環境に起因する要素が強く、必ずしも個人の問題とはいえないのである。それゆえ、個人が一人で対処することが困難な問題でもあるのだ。

ユーザーが進んでのめり込むような、企業のサービスから離れることが困難になるような、別の行為の可能性を閉じてしまう設計が、市場・企業への従属化の問題を引き起こしていることは、私たち自身が身をもって知るところだ。先述の通り、これにはトラッキング技術が一役買っているのだが、ルプトンは、このような使われ方を指して「悪用されたセルフトラッキング（exploited self-tracking）」と呼んでいる。

これはまさに「悪用」であって常態ではない、という点は強調しておきたいが、その上で、ダメ押しにもう一つだけ悪用例を挙げておこう。それは「Girls Around Me」という、二〇一二年に世界中で批判され、利用停止となったアプリの事例だ。

このアプリは、男性のGPS情報とFacebook、Foursquare の情報を連動させ、自分の周辺にいる女性のプロフィール等を閲覧可能にするというものだった。二〇一二年当時はFacebook の情報を簡単に他のアプリで利用できたため、このようなアプリが出回っていたのだ。自分の近くにいる女性の情報を、その女性の同意なしに表示可能にするこのアプリは、当然ながら「ストーカーアプリ」として多くの批判を呼んだ。問題を受けて Foursquare はすぐにアプリをブロックしたが、この問題は個人のプライバシーもさることながら、ジェンダー問題としても議論された。[31] この事例は、企業の倫理観を信頼してスマホやアプリを利用することの危険性を知らしめたのである。

⑤依存—能力退化

イヌイットがGPSと引き換えに失ったもの

最後に取り上げる懸念は、科学技術に依存する私たちの行く末に関するものである。すなわち、次々に開発される便利なツールの使用は、私たちの能力の維持とトレードオフの関係にあるかもしれない。本書では、これを「依存-能力退化」への懸念と呼びたい。

ソクラテスが『パイドロス』で「文字」という発明を批判したのと同じく、「依存-能力退化」への懸念は、現代の科学技術によって、私たちの能力や資質は退化してしまうのではないか、というものだ。ここでは、その象徴的な事例を紹介しよう[32]。

イヌイットは、カナダ北部の寒冷地に住む先住民族として知られている。この土地では、雪や雲の影響によって視界が白一色となる、ホワイトアウトと呼ばれる現象が生じやすい。ホワイトアウトになると視界はゼロになり、方向感覚や高度、地形が分からなくなる。氷床や積雪で地形が変化するため、目印となるような景観を認識することが困難になるばかりか、北極に近いため、磁気コンパスも利用できないといった過酷な環境である。

イヌイットの人びとはこの環境を生き抜くため、大気の状況を把握するだけでなく、鳥の行動を参考にしたり、風向きで方向を認知したり、雪の吹き溜まりのパターンを見極めるといった多くの知恵を持ち、それらを後代に伝承してきた。

一方、こうした過酷な環境のため、イヌイットの人びとは最新技術の受け入れも早かった。その一つが、位置情報を正確に把握するＧＰＳである。ＧＰＳは常に自分の位置を把握するトラッキング技術を用いたもので、冷戦時代に米軍が開発し、その後一九九三年に民間に開放されたものだ。このＧＰＳを彼らは早くから取り入れ、普及するまでには十年とかからなかったという。他にも、「犬ぞり」はイヌイットの移動手段としてイメージされることが多いが、実際にはスノーモービルや特殊な車両が常用されている。イヌイットの人びとは、こうした最新の移動手段とＧＰＳとを連動させることで、目的地までの最短ルートで走り、燃料効率を上げることにも積極的だった。

　このように、イヌイットの人びとは最新の技術を取り込みながら、生活の質を向上させようとしてきたのだ。しかし、技術はメリットばかりではなく、彼らに思わぬデメリットももたらした。技術はなんと、彼らの命を危険にさらすようになったのである。それはなぜか。

　ＧＰＳは目的地までの最短距離を走行するためには便利だが、氷の表面がひび割れた危険地帯を察知するものではない。ＧＰＳは風向きや位置情報という「データ」は提供しても、現地の微細なニュアンスを伝えるものではないのだ。彼らが後代に伝承してきた知恵は、まさにそれを把握するものだった。けれども、ＧＰＳと連動したスノーモービルの普及で、その伝承がお座なりになってしまった。つまり、若者はイヌイットの知恵を獲得しないまま、ＧＰＳをはじめとした技術に依存するようになったのである。

その結果、真に適切なルートを見極める術を失ったイヌイットは、これまで以上に氷床や雪上の割れ目（クレバス）にはまる事故に遭遇するようになり、また、伝承の知恵がない若者が事故を避けようとすると、慎重に移動せざるを得ないために、余計に時間がかかるようにもなってしまったという。

イヌイットの人びとは、ＧＰＳというトラッキング技術に依存することで、後代に伝承してきた知恵を失い、過酷な寒冷地を移動するための能力を退化させてしまったのである。この事例は、ソクラテスの文字に対する懸念が、決して杞憂ではないことを示している。

技術は私たちに恩恵を与えるが、それらに甘んじた結果、私たちは重要な能力を失っているのかもしれない。このような「依存‐能力退化」への懸念は、イヌイットの事例からしても、きちんと考慮すべき重要な論点であるといえる。

素朴な疑問——そもそも私たちは自由で自律的なのか？

以上で述べた、ＱＳに関する五つの懸念点を簡単にお浚《さら》いしよう。

「新自由主義化」への懸念は、私的な事柄と社会的な関係の双方が「経済化」と「自己責任化」の論理に侵食される現況において、ＱＳやＱＲは「新自由主義化」を体現すると同時に、助長してもいるというものだった。この懸念の背景には、QSやQRが関わりを持つ、いくつかの具体的な問題がある。

その一つ目は、測定結果が状況や関係の全体であると誤解（還元）されたり、その指標のみを通じて管理されたりするようになる、「測定―管理化」という問題だ。この問題はしばしば経済活動や教育実践に影を落とすが、ここから派生する二つ目の問題は、社会関係や対人関係全般に及んでいる。すなわち、「交換―互酬化」という問題だ。これは、私たちを取り巻く関係が交換ベースの互酬関係に跼蹐することで、内在的な価値が道具的な価値に上書きされる事態を指摘したものである。本章では、この点を「信頼」が「信用」に置き換わることとして説明した。

しかし、無条件の「信頼」は常に良いとは限らない。それは三つ目の問題、つまり「市場―商品化」という問題が教えることである。私たちの精神・心理状態を測定し把握する技術であるサイコ・インフォマティクスは、私たちの行為可能性を構造化し、依存状態をもたらすこともある。そのために、技術を無条件に信頼するわけにはいかないのだ。この点は、四つ目の問題である「依存―能力退化」についてもいえる。イヌイットの事例が示唆するように、技術への安易な信頼は、私たち自身の能力や資質を台無しにする場合もあるのだ。

「新自由主義化」とこれら四つの問題を合わせた五つの懸念点は、先述の通り、自律性や自由が毀損されることへの憂慮に包括される。再論すれば、自分自身のものと見なされる理由や動機に従って自分の人生を生きることや、自分の行為が妨害されず（消極的自由）、自分の意思で行為を選択できる状態（積極的自由）が、トラッキング技術によって失われるのではないか、と危惧しているのだ。こうした危惧は、以上で述べた事例などに照らせば、なるほど説得力があるように思える。

けれども、天の邪鬼な私は、次のような素朴な疑問を抱かずにはいられない。すなわち、私たちはそもそも本当に自律し、自由に生きているのだろうか。私たちは誰もが自分を律し、自由に判断ができるという想定を自明視しすぎてはいないか。こうした価値観を重視すればするほど、例えば障害を持つ人びとや社会的に弱者とされる人びとは、ますますその立場が危うくなるのではないか。

もし、これらの疑問が的を射るものであるなら、五つの懸念点もトラッキング技術に対する全般的な批判としては、妥当ではなくなるように思われる。そこで次章では、この近代的な価値観がどこまで然るべきものなのか、詳しく検討することにしよう。

第5章　セルフトラッキングの可能性

前章では、セルフトラッキング技術への懸念として、「新自由主義化」「測定‐管理化」「交換‐互酬化」「市場‐商品化」「依存‐能力退化」という、五つの論点があることを確認した。そして、これらの懸念点は、自律性や自由が技術によって脅かされるという、古くからある憂慮の末裔であるとも述べた。

このような人間の主体性をめぐる問題が浮上するときには、必ずと言っていいほど言及される哲学者がいる。前章でも参照したミシェル・フーコーである。そこで前例に倣《なら》って、ここでもフーコーに登場してもらおうと思う。しかし、私が彼に言及する仕方は以下のような議論とはかなり趣が異なる。

技術やメディア、政治、あるいは教育に関する論文を渉猟《しょうりょう》していると、時折、「真正な」「無媒介な」「脱権力的な」「本来的な」「コミュニケーション的な」……などという言葉で、人間性や主体性を修飾したがる論者が、私たち人間を主体化する権力（構造）を批判するためにフーコーを参照するのを見かける。つまり、近代社会が「規律権力」を通じていかに従順な「主体（subject）」を創り上げ、私たちを支配してきたか、それを批判的な視点から論じるという趣旨だ。

そのような議論は往々にして、フーコーの議論を念頭に置きつつも、権力（構造）の

「外」の人間性や主体性を探し求め、護ろうとする。しかし、フーコーの一連の議論はそもそも単純な権力批判ではないので、こうした問題設定の下でフーコーを呼び出すのは、私にはいささか奇妙に思える。というのも、フーコーは主体性の否定的な側面だけを議論したわけではなく、特に晩年には、一般的な意味での自律性や自由の概念を超える、そのような道徳的主体を捉えるために、権力と能動的に関係する主体を論じてもいるからだ。したがって、本書でもフーコーへの言及はこの点を重視しようと思う。

本書のテーマにとっては幸いなことに、オランダの哲学者フェルベークが前記の点を踏まえて、「技術の道徳化」という技術と人間の相補的な関係をすでに議論してくれている。そこで本章ではまず、フェルベークによるフーコー読解を参照し、それを通じて、セルフトラッキング技術のポジティブな可能性を論じることにしたい。

技術の道徳化

フーコーは『監獄の誕生』の中で、近代的な監獄や学校システムが、囚人であれば模範囚に、学生であればより優等生へと私たちを促す機序を描いている。フーコーはこの著書において、しばしば自律的で透明なものとして捉えられてきた近代的主体が、どれほど多くの権力（構造）に従属しているかを示したのだ。読者の中には、「主体」や主題を意味する「subject」には、客体・被験者・臣民といった、「従属」の意味も含まれていると知っている人もいるはずだ。私たちは文字通り、権力の客体になることで、自律的な「主体」となるのである。

単純な事例としては、監視カメラが設置された空間では、普段は利己的な人でも規範的に振る舞う、といったことが挙げられる。監視カメラによって「見られている」可能性が、その人を自ら正しく振る舞うように促すわけだ。言い換えると、監視カメラの客体となることによって、私たちは「道徳的な」主体にならざるを得なくなるのである。

これまで、このような視点は近代社会を批判する議論にも結び付けられてきた。セルフトラッキングの議論に代入すれば、セルフトラッキング技術は、私たちを社会が望む存在へと、つまり自己管理能力の高い存在へと作り変えるための、従属化の契機だということになるだろう。こうした見方に即せば、自律性という概念は、主体に対して何ら意味を持たないように見える。自らするのではなく、そうさせられているだけなら自由もないように思える。

では、フーコーは、人間の自由そのものを否定したのだろうか。

フェルベークによればそうではない。倫理を主題とした後期フーコーの議論は、自由は自律性によるよりも、主体に影響を及ぼす外的な要因（その一例が「技術」である）との間に関係を築く中に、位置づけている。このようにフーコーを読解するフェルベークは、「自由は、『技術という支配的な権力』との間に人間が作り出す関係性のなかにある」と述べている。[1]これは、監獄や監視カメラといった技術が望む仕方で私たちは道徳化されるだけではなく、これらの技術と関係を築くことで、私たち自身が自ら望むものになる、そのような自由が存在するという主張である。実際、フェルベークはこのアプローチについて、「技術的媒介は、道徳的主体への脅威なのではなく、道徳的主体に至るための端緒なのである」と論じている。[2]

このような、ポジティブに理解された主体と技術の関係は、フーコーが倫理に関する議論の中（『性の歴史』第2巻序文）で、人が自らを道徳的な主体へと形成する要素を四つに分けて論じたことに対応している。その四つの要素の骨子を示せば、次のようになるだろう。

第一は、「倫理的実体」。これは、道徳的な規範によって型に嵌《は》められたり、従属化させられたりする対象・部分を持つ者として、私たちは見られてきたということ。古代や中世では魂や快楽・意志などが、そして現在では専ら欲求や衝動・感情などが注目されているように、常に何かが制御対象にされてきたということである。

第二は、「従属化」の様式。これは、私たちを道徳的な規範に従属させるように促す特定の仕方のこと。宗教的な狭義、自然法、普遍的な規則、あるいは合理的なルールなど、いわゆる「権威」によって方向づけられることを意味する。監視カメラの前では品行方正になるとすれば、それは法をはじめとする「権威」が、そうするように促しているからである。

第三は、「自己実践」。これは、自明視されるものとの間に距離を取り、生産的な関係を見出すことを意味する。フーコーによれば、古代ギリシア人は、「権威」によって快楽を制御するように方向づけられていた。しかし、彼らは単に快楽を放棄したのではなく、うまく付き合う流儀を見つけようとした。つまり、権力や権威に主体の形成を恣《ほしいまま》にされたのではなく、その要請に対して意図的な立場を取り、自分で自分自身を形成しようとしたのである。

第四は、「目的論」。これは、私たちは道徳的な規範に従属することによって、何者になることを目指しているのかということ。無垢でありたいのか、不死になりたいのか、自由になろうというのか、それとも自分自身の管理者でいたいのか。道徳的な振る舞いは、何かこういった目的と関係づけられるということである。

これら四つの要素は、フーコーが晩年に論じた倫理学の主要な論点だ。つまり、私たちを取り囲む権力の中で、それと関係しながら自律性と従属化（あるいは支配）とが両立する地点を探そうとしたのだ。これは本書のテーマにとっても極めて重要なポイントである。

フランスの哲学者ジル・ドゥルーズによれば、フーコーが示した前記の四つの要素は、実はアリストテレスが『自然学』で示した四つの原因説（質料因、形相因、作用因、目的因）に負うものであるという。その詳細は割愛するが、ここでは代わりに、アリストテレスが『ニコマコス倫理学』の中で述べた、次の一節を挙げておきたい。

> いかなる「卓越性」も、卓越性をもつものをよい状態にし、そのものが自己のはたらきをよく発揮できるようにする、と語るべきである。たとえば「眼の卓越性」であれば、眼をすぐれたものとし、そのはたらきもすぐれたものとする。実際、われわれはこの眼の卓越性によって、よく見るということができるようになっているのである。……それゆえ、すべてのことにこうしたことがあてはまるとすれば、人間の卓越性（徳）もまた、人間を善き者とし、自分自身のはたらきをすぐれた仕方で発揮させる、そのような状態としての性向ということになる。[3]

アリストテレスは「卓越性《アレテー》」という言葉を用いて、「人間が優れる」とはどういうことなのかを説明しているのだ。彼によれば、優れた人間になるには、人間自身の能力・資質を十分に開花させるような、そのような性向、つまり卓越性（徳）を涵養せねばならない。この点は、第1章で見た「悪しき習慣」を改善する必要性とも繋がっている。しかし、そこでも指摘したように、「新しくて古い問題」（アクラシア）や「古くて新しい問題」（自己欺瞞）を抱えている私たちは、卓越性を、何にも頼ることなく自力で涵養できるとは思えない。

私たち自身がよく知っているように、私たちはそんな立派な存在ではなく、為し得ることも高が知れている。だからこそ、私たちはそのような現実において、自分でやれる範囲の中で、「有徳になる」（道徳的主体化）方法とその目的を見出さねばならないのだ。このような現実主義を念頭に置くなら、私たちを取り巻く環境――権力であれ、技術であれ、他者であれ――は、そのためのなけなしの手掛かりであり、資源であり、生命線にさえ見えてくる。

関係的自律とは何か？

このような意味での「有徳になる」方法に関連して、フェルベークは、後期フーコーの倫理学はまさにそれを論じたものであるという。先に見た、人が自らを道徳的な主体へと形成する四つの要素には、権力当局と協働すること、つまり主体構成のプロセスに参加する仕方が示されているというのだ。確かに、古代ギリシア人は、権威からの要請に従って単に快楽を放棄するのではなく、快楽に翻弄されない流儀を見つけようとした。そこには、（道徳的）主体化は外から課されるだけでも、また自分が望むままに設計できるものでもなく、取り巻く関係性の中での「自己実践」に他ならないことが示されている。

フェルベークは、このフーコーの倫理学を起点に、権力当局を「技術」に読み替えて技術との協働関係を築くことが、私たちには必要であるという。彼によれば、技術は主体の自由を探るためのもので、必ずしも主体を支配するものではないのである。

こうした理解の上に「自律性」を捉えるなら、それは第４章で見た近代的、あるいはカント的な自律性ではないのは明らかだ。その「自律性」は技術と関係づけられているのであり、その意味で自己完結してはいないからだ。このような、外部との関係で創出され、強化され、達成される「自律性」は、「関係的自律性（relational autonomy）」と呼ばれる。

この「関係的自律性」という概念は、近代社会の理念、とりわけリベラル民主主義に反省を促す点でとても重要なものだ。それはなぜか、順を追って説明しよう。

リベラル民主主義を擁する社会では、社会に貢献しうる市民（の能力や資質）が重視されてきた経緯がある。しかし、この考え方は、健常者と比較して十全に貢献し難い人びと、つまり重度の知的・精神的な障害（impairment）を持つ人びとや高齢者などを、軽んじたり、排除したりする可能性を孕《はら》んでいる。彼らは、健常者と同じようには振る舞えないので、それを理由に同等には見なされないかもしれない。そうなると、この考えは、彼らに対して排除的に作用することになってしまうのである。

この懸念の背後には、障害者の「生を肯定的に意味付ける」論点が、労働能力の有無を焦点とする「自立（independence）」から、判断能力の有無を焦点とする「自己決定（self-determination）」としての個人的自律に移行してきたという歴史的経緯がある。すなわち、労働能力が十分に備わっていなくても、自分の生のあり方を反省的に選択する判断能力を持ち得ること、つまり「自己決定の権利」を有するということが、障害者の社会活動を困難にする障壁（disability）に対して、抵抗と解放の論拠になると考えられてきたのである。[4] これは、身体に不自由のある障害者も「自律的な個人」として包摂しようとする点で、障害者の権利保護に繫がるように思える。

しかし他方で、こうした論点の移行は、先にも述べたように、重度の知的・精神的な障害（impairment）を持つ人びとや高齢者など、自己決定に関わる判断能力を十分に発揮し得ない人びとを、人格的な尊重の対象から除外してしまう可能性があるのだ。繰り返すと、身体的な不自由のある障害者を「自律的な個人」として包摂することによって、今度は、認知的な困難を抱える人たちが例外扱いされてしまうことになるのである。

　こうした問題は、「自律性」という概念に起因すると言っていい。

　第４章で確認したように、「自律性」は一般に独立や自立した状態であり、自らが自分の意志で自分を律して生きることとして、つまり「外部」からの制約や制御、あるいは干渉が無いという意味で、長らく個人の「内部」にある能力や資質と見なされてきた。この考え方を重視する限り、「内部」にあると仮定される能力や資質を十分に持たない者や、発揮し得ない者は、非自律的な存在だということになる。この見方が、認知的な困難を抱える人たちに対して排除的であることはすでに述べたが、実は、この見方は、私たちすべてに対しても排除的なのだ。

　なぜなら、この見方が暗に想定するような、「外部」からまったく独立に申し分のない判断や、瑕疵《かし》のない行動を取り続けられる人間など存在しないからである。私たちが「外部」にどれほど依存しているか、それを理解するには、脳性麻痺という障害を持ちながら小児科医として、そして研究者としても活躍する熊谷《くまがや》普一郎の見方が参考になるはずだ。熊谷はこう述べている。[5]

「自立」とは、依存しなくなることだと思われがちです。でも、そうではありません。「依存先を増やしていくこと」こそが、自立なのです。これは障害の有無にかかわらず、すべての人に通じる普遍的なことだと、私は思います。

熊谷のこの言葉は、第2章で見たマッキンタイアの思想をさらに拡張するものに思える。というのも、マッキンタイアは、私たちの生が「ほとんどの場合、他者のおかげ」であると示唆していたが、熊谷の理解は「他者」の意味を人としての他者だけでなく、技術やインフラをはじめ、私たちを取り巻く「外部」にまで広げるものだからである。

例えば車椅子に乗り、バリアフリーな環境を頼りにする人たちと同様に、健常な私たちも実際、「外部」に大いに依存している。それは身体的な諸動だけではない。自動車の回転速度計がスピードの出しすぎを判断するキッカケになるように、私たちは、認知的な事柄についても大いに「外部」からの影響を頼りにしているのである。こうした経験的な事実は、旧来の「自律性」という概念を反省し、同時に「関係的自律性」という理解に立つべき、十分な理由を提供するものである。

このように考えると、改めてフェルベークがフーコーの倫理学を起点に、「技術」は主体の自由を探るためのもので、必ずしも主体を支配するものではない、と考えた理由が見えてくるのではないだろうか。フェルベークが、世界に存在するさまざまな力や技術との関係を肯定し、またその関係に積極的に関わろうとする姿勢を肯定する理由、そして「技術的媒介は、道徳的行為者性の終点ではなく出発点」なのだ、と述べる理由が分かるのではないだろうか。

前記で述べた論点は、本書にとっては非常に重要なものだ。つまり、「自律性」とは合理的な判断能力を含む概念だが、個人に備わるだけでなく、外部との関係で高められ、促進され、助成されることで達成されるものであり、その意味で「関係的自律性」と呼ばれるべきものだということである。教育や社会、人間関係といったさまざまな関係性の中に見出される関係的自律性を、人間と技術との間に見出すことは十分に可能なのだ。

ＱＳもアプリなど進化する技術に支えられながら広まっていった運動であり、関係的自律性という観点から再解釈すれば、人びとが世界の力や技術との関係を築き、道徳的行為者であろうとする運動として捉えることができる。

これを本章の基本的な前提として、以降では私たちがどのような現実の下にあるのか、そして、その現実にはどのように立ち向かうべきかを検討することにしよう。

信念体系の歪み

本書で述べてきたように、人間には自制心が十分に備わってはいない。それが多くの問題の原因ともなっている。しかし、問題はアクラシアだけではなく自己欺瞞にも起因し、さらには、自分を欺いたり、無知であったり、思い込んだりするゆえに作られた信念体系が原因となって、問題行動が発生する場合もある。

例えば、飛行機に搭乗する際に、自動車に乗るときよりも不安を抱える人は多い。しかし、米国家運輸安全委員会（ＮＴＳＢ）のデータによれば、飛行機事故に遭遇して死亡する確率は０・０００９％であるという。これに対して、アメリカで自動車事故に遭遇して死亡する確率は０・03%である。つまり、飛行機事故に遭遇する確率は、自動車事故の33分の1以下なのだ。[6] しかし、こうしたデータを理解してもなお、私たちは、自動車に乗るときにはそれほど不安を感じず、飛行機に搭乗するときに不安を感じてしまいがちである。

これと同様に、殺人事件に関するセンセーショナルな報道に触れると、私たちは治安の悪化を感じて不安になることがある。だが、実際は殺人・強盗などの凶悪犯罪は減少している。昭和期には1万５０００件から1万件、平成の初めには約６０００件あった凶悪事件は、平成一〇年から一四年の間には多少増加したものの、その後は減少に転じ、二〇二〇年は４４４件に減少しているのだ。[7] しかしこれまた、このような事実を知ったとしても、「治安が悪くなっている」という直感を払拭《ふっしょく》し難い者が多いようである。事実、警察庁が最近公表したアンケートの結果によると、「ここ10年で日本の治安は良くなったと思うか」との質問に対し、「悪くなった」との回答は64％に上っている。[8] これは、私たちが社会は悪化しているという「信念」を形成しているからである。

要するに、私たちが持っている信念と事実が「食い違う」ことがあり、信念体系に歪み（バイアス）が生じれば、正しい知識を得たとしてもなお、そのようなバイアスを修正するのは難しいのである。

それでも、まだ自分の信念体系の歪みを認識できていれば良い方だ。現実は昨今のＳＮＳで散見される「見たいものしか見ない」状態が深刻化し、社会の分断が生じている。それは陰謀論者に代表されるように、どんなに科学的データや専門家の意見を前にしても、自分の信念を変えない、変えたくないといった人びとを生み出すことになる。

そこまで極端ではなくとも、信念体系が善悪の価値判断の基準になってしまうことはよくあることだ。

例えば「渡る世間に鬼はなし」という、読んで字の如く、世間に悪人はいないという意味のことわざがある。他方、このことわざを基に創られたもので、ドラマのタイトルとしても有名な「渡る世間は鬼ばかり」という言葉がある。世間には悪人だらけという意味で前者とは真逆の価値観だが、私たちがどちらの意味に共感するかは、個々人の人間関係の体験をベースに分かれるだろう。つまり、比較的嘘のない良好な人間関係の中で育ってきた人と、そうではない人との間では、体験の差異から社会を見る価値観が分かれるのである。

それは、成功者や失敗者が語る体験談でも同じだ。成功者の体験は当事者のものでしかなく、同じことをしても自分が成功する保証はどこにもない。それどころか、成功者は自分が成功したという自負と、成功したという事実のみを基準とし、失敗の可能性が見えづらくなる「生存者バイアス」に陥っている可能性もある。これは逆もまた然りである。失敗者の体験談が参考になる保証もどこにもないのだ。

心理学を学ぶことの虚しさ

ここまで、信念体系の歪みやその危うさについて見てきた。もちろん、こうした問題があるにせよ、人間の認知能力は全否定されるものではない。それは、ある人が睡眠不足や疲労を理由に一時的にパフォーマンスが下がっても、その人の能力がすべて劣っているとは考えないのと同じことだ。ここでの要点は、私たちの認知には、時折、歪みが生じるということだけである。

では、こうした問題にはどのように対処すれば良いのか。まず重要な点は、個人のバイアスを修正することは、時間も労力もかかる困難なものだということだ。自分自身のバイアスに気づくには、他者からの指摘はもちろんのこと、内省し、バイアスに関連する自分の信念と、その信念が形成された経緯を振り返ることが必要である。

しかし、自分自身が何か偏っていると薄々気づいていても、それを認めることは、これまでの自分の行為の過ちを認めることでもあり、心理的な負荷がかかる。そのため、人種差別やジェンダーに関するバイアスのように、バイアスの存在を指摘されても、そもそものようなバイアスを本人が認めないケースも多い[9]。

ある心理学者は、心理学を学ぶことの虚《むな》しさについて述べている。なぜなら、どれだけ真理や認知に関する知識を持っていても、それだけではバイアスや歪んだ信念体系を払拭しがたいからである。このように、自己修正には限界があり、こうした点は「バイアスの盲点」と呼ばれる。[10]

イギリスの哲学者クリストファー・アールストロムは、『認識的パターナリズム』において「適切な修正」の困難さを説明している。[11] 例えば、多くの人は、自分に備わる望ましい特性を平均以上と答える傾向にあることが分かっている（ある研究では、約85％の研究参加者が、自分はグループの平均的なメンバーよりも客観的であると評価した）。さらに、私たちには、バイアスの存在を知りながらも、それでも自分だけは例外的に優れていると考える、そのような厄介なバイアスがあることも判明している。

このように、バイアスの自己修正は極めて困難である。自分の信念体系に存在するバイアスを理解したとしても、実際、その信念はさまざまな要素が複雑に組み合わさって生じているため、バイアス修正の過程で、必要のない修正や、あるいは過剰な修正を行ってしまい、結果的に別のバイアスが生じてしまうのだ。信念からバイアスを取り除くには、「必要な範囲だけ修正」する必要があるが、口で言うほど簡単ではないのである。

認識的パターナリズムとは何か？

　それでは、バイアスによって偏った信念が形成される可能性を見据えて、その基になるバイアスそのものの発生を防ぐことはできないか。情報行動の権威であるティモシー・ウィルソンによれば、それには希望があるようだ。彼によれば、「偏った判断や感情を避けるための最善の方法は、情報被曝の制御」であるという。[12]この点に関して、ノルウェーの社会理論家・政治学者のヤン・エルスターは、第3章で述べた、セイレーンに対するオデュッセウス一行の対応を例に挙げて説明している。オデュッセウスは、セイレーンによって誘惑される懸念を見越して、自分をマストに縛り付けるといった事前の対策を講じていた。情報被曝の制御、つまり触れる情報を予め制限するのは、これと同じだというのだ。

　他にもエルスターは、古代ローマの哲学者セネカの言葉を例に挙げ、「酒癖が悪く、己の酩酊《めいてい》の無鉄砲と破廉恥《はれんち》を恐れる人は、自分を宴会から遠ざけるように仲間に依頼する」ことができると述べている。[13]これは酒によって問題行動を起こす前に、事前に自分の行動抑制を頼んでおくものであり、「自己拘束」と呼ばれる措置である。

　実際、科学者自身が同様の措置を講じることがある。例えば、患者と接する臨床医はさまざまな経験をするため、病気を判断する際にバイアスに陥りやすい。そのため、コンピュータを用いた予測モデルを利用することで、バイアスの発生を抑制することがある。この技術は「臨床意思決定支援システム」と呼ばれるもので、すでにその市場規模は12億ドルに達している。[14] 他には調査研究でも、調査対象となる回答者は無作為に選ばなければならないが、これは研究者自身のバイアスを混入させないための対策である。

バイアスを生じさせる外部情報から予め距離を置く、「情報遮断」の例を別の視点からも見てみよう。

昨今は「両論併記」がジャーナリズムで問題となっているが、最初から論外であるとされるものを記述する必要はないのと同様に、例えば、教育現場では、麻薬の売人が麻薬使用の安全性を擁護したり、ヤブ医者が自分の治療法を紹介・擁護したりするような、「誰にも平等な時間」は与えられてはいない。学生が極端に偏った情報にさらされることを避け、正しい信念を形成できるようにするために、一定の情報を遮断するのは有益だからである。

また、第1章に見たように、アメリカの陪審員が最後の議論において情報遮断を行うのも、こうした事例の一つといえる。裁判官は陪審員に対して、被告の性格を示す証拠や犯罪歴など、いくつかの情報を秘匿することがある。これも、陪審員に無用なバイアスが混入することを防ぐためだ。

このように、事前に情報を制限し、バイアスの発生を抑止することに関して、注目されるのが「認識的パターナリズム」と呼ばれる思想的な立場である。認識的パターナリズムは、「個人の信念形成プロセスに外部から干渉することで、真の信念を形成し、偽りの信念を避けるという目標に貢献しようとする立場・思想」のことである。[15] 以下では、これを説明するが、そのためにもパターナリズムを少しだけ解説しておこう。

パターナリズムとは、父権主義的な視点から、他者の利益のために、その問題について他者に相談することなく、他者の行動に干渉することを含む実践である。つまるところ、要求や禁止など、さまざまな方法で人に干渉することであり、具体的には、シートベルトの着用義務や、ドラッグの禁止などが挙げられる。では、こうした干渉は、どのような条件において正当化されるのか。

まず、自由主義思想家たちが、パターナリズムは自由の概念を操作するものであり、それゆえに、自由を異なるものにしてしまう、と懸念してきたことは知っておくべきだろう。その上で、パターナリズムの主張が懸念に値するかを見てみよう。

パターナリズムの擁護者は、他者に干渉する人が、干渉される人の「本性」や「理想の自己」、「自律的な自己」等を促進するためにそうしている限り、それは他者の自由を侵害するものではないと主張している。シートベルトの着用はその人の生命を守り、ドラッグの禁止はその人の自律性を守るというわけである。彼らは、パターナリズムはこの点において、人をより自由にするものだと主張する。

　これは一見、奇妙に思えるかもしれない。というのも、シートベルトの着用義務やドラッグの禁止を定めるルールは、シートベルト無しで運転したり、好き勝手にドラッグを使用したりする自由を、むしろ制限するものであるからだ。しかし、パターナリズムの擁護者は、そのような望みは、その人の「本性」や「理想の自己」が望んでいることと、本来的に一致していないという。好き勝手する者はそうしてしまうだけで、本来、十分に思慮できる状態にあれば、そうはしないだろうというのだ。例えば、薬物の中毒者が薬に手を出すのは、症状のためであって、必ずしもその人のせいではない。欲望や感情に翻弄されるとき、私たちは、何かを意志する自分自身を見失っているのである。

　そうであれば、人の自由を促進するために、あえて不必要な、望ましくない方法を取ろうとする個人の選択を制約するパターナリズムは、擁護されることになる。こうした発想は、「認識的パターナリズム」を擁護するものにもなる。実際、アールストロムは次のように述べている。

ある実践が認識的パターナリズムといえるのは、次の場合に限られる。すなわち、その人が望む方法で探求する自由を妨げている場合（干渉条件）において、懸念される事案について干渉される人に相談すること無しに（非相談条件）――唯一の目的か主要な目的かはともかく――その人を認識的に良くする目的で（改善条件）なされる実践である。[16]

例えば、金銭感覚が緩いために経済的に困窮する友人のことを思って、その友人に対するクレジットカードの勧誘情報の一切を私が遮断したとする。それは友人の自由を侵害する介入であるが、友人はそのような介入が無ければ、大いなる確率で破産の憂き目に合うことが予想される。このような、個別具体的な場面での妨害行為において問われるのは、被妨害者から事前に妨害の同意を取り付けているか否かである。

前記の認識的パターナリズムの三つの条件からすれば、友人に妨害行為の実態について知らせなくとも、私の行為は信義にもとる行為とは言えず、パターナリズムとして擁護されると考えられる。先に述べた陪審員に情報が与えられない点も、各自に同意を取り付けているわけではないが、それが認められている。このような状況を指して「外部制約」と呼ぶ。

こうした認識的パターナリズムの主張は、先に述べたフーコーやフェルベークの主張とも重なる点がある。パターナリズムによる介入は、それによって個人の自律を促進するものであると解釈できるからだ。技術は必ずしも私たちから個別に同意を得て存在しているわけではない。しかしながら、技術が私たちの自由を促進するとすれば、パターナルな技術的介入と個人の間に「関係的自律性」が成立すると考えられるのだ。

セルフトラッキングの再検討

前章では、セルフトラッキング技術に対する「新自由主義化」「測定‐管理化」「交換‐互酬化」「市場‐商品化」「依存‐能力退化」の五つの懸念点を見た。以降では、「関係的自律性」や「認識的パターナリズム」の論点を念頭に、これらの懸念点を再検討しよう。議論を始める前に、前章で議論した懸念点を簡単にまとめておこう。

「新自由主義化」によって自己責任が強調され、「測定‐管理化」が前景化し、それによって、私たちは「なぜ」を考えることが困難になってきた。それは「交換‐互酬化」によって、内在的価値が道具的な価値に上書きされたり、「市場‐商品化」によって市場に翻弄され、別様に行為する可能性の幅が狭められたりすることにも繋がっている。これらの結果として、私たちは技術への依存と引き換えに、能力を退化させてもいる（「依存-能力退化」）。以下では、これら五つの懸念に対する反論を、順を追って見てみたい。

①新自由主義化

「新自由主義化」の懸念は、ひとまず「自己責任」の強調という論点に集約して良いだろう。この論点に依拠する批判者は、人間が成長し、適切な人間関係を築くには、コミュニティや家族など、さまざまな社会的支援を必要とするにもかかわらず、トラッキング技術は、それらを蔑《ないがし》ろにする危険を孕んでいると主張している。こうした批判は、問題の解決を個人に求めることの誤りを指摘し、構造の改革こそが必要だという視点に立つものである。アメリカの哲学者アレックス・マドバは、こうした視点を「構造優先主義」と呼んでいる。[17] それは例えば、哲学者のサリー・ハスランガーの次のような主張に見られる。

> 個人（とその態度）に焦点を当てると、構造的・文化的文脈に蔓延する不正や、その文脈が私たちの行動を制約したり、可能にしたりする方法が見えなくなってしまう。[18]

構造優先主義の観察では、問題の原因は大半が構造的なものである。例えば、男女の賃金格差が評価システムに起因するなら、従業員の意識を変えるだけでは問題解決には至らない。これはもっともなことである。しかし、問題と解決策の間には、必ずしも整然とした一対一の関係が必要なわけではない。

実際、新自由主義の問題が「構造」に起因するとしても、その解決のために、政府転覆を目論む「構造改革」を支持する者は少ないだろう。このような極端なものでなくても、構造改革を実現しようとすれば、改革が可能であり、望ましいものであると個人を説得し、行動を促す「個人主義的」な改革を避けることはできないはずだ。さらに言えば、個人の動機や解釈、偏見を十分に理解しないまま構造改革を行うと、逆に偏見や差別を助長することにもなりかねない。事実、アメリカの公民権活動家であるミシェル・アレクサンダーは、エリートのアフリカ系アメリカ人の地位向上に焦点を当てた政策は、最悪の状況にある人びとが直面している不利益を隠蔽し、人種的不平等を弱めるどころか強化する役割を果たし、全体的には逆効果になることを指摘している[19]。

以上を要するに、個人の意識や態度を変える「個人改革」は、正義の促進に不可欠な構造改革のためにこそ、必要かもしれないのである。

この点は、トラッキング技術に関する「新自由主義化」という懸念についても、当然ながら当てはまる。自己責任化を恐れて構造優先主義に傾くのは、真の問題解決からは遠ざかることでしかない。「個人改革」が、仮に問題の根本原因を、つまり構造的な問題を取り除くことができないとしても、それを理由に批判するのは不当である。先にも述べたように、「個人改革」と「構造改革」は、どちらかが必要なのではなく、そのどちらもが必要なのである。

実際、個人が孤独になるリスクを測定することは、その個人のリスク認識を変革するだけではなく、より大きな社会問題を提起する端緒になったり、積極的に地域コミュニティに参加する契機になったりするかもしれない。つまり、「トラッキング技術が自己責任化に繋がる」という見方は一面的だといえる。

この技術もまた、個人的／社会的といった二分法に基づいて評価されるべきではないのだ。むしろ必要なのは、個人的かつ社会的な方法の組み合わせなのであり、トラッキング技術をその一助として評価し、そこに向けて運用する仕組みを講じることである。このように考えれば、自己責任の問題だけに回収できない、積極的な可能性も見えるはずだ。

②測定–管理化

次に、「測定–管理化」の問題である。あらゆる出来事が測定される中で、測定対象でない状態や質的なものが等閑視されたり、反対に量的な値ばかりが重視され、それによって人間関係も把握されるようになったりする、といった問題が指摘されていた。つまり、QSやQRが測定した値が事柄の全体であると誤認・誤解されると、その値に振り回されたり、それによって管理されたりする事態が進むというわけだ。

しかし、測定による数値化のすべてが問題なわけではなく、測定の仕方を変えられないわけでもない。また、いまは測定対象でない状態や質的なものの測定が、今後もすべて「不可能」であるともいえない。

実際、いくつかのセックス追跡アプリは、ユーザーが自分の経験で得た快楽を主観的に評価することで、指標を自分にとって重要なものに置き換えることができる。ユーザーによるフィードバックによって、測定のあり方に変化を加えたり、そのような要望をアプリ開発者が積極的に受け入れて、測定の基準となる指標が更新されたりするのはよくあることなのだ。第3章で見た「カレログ」のように、測定管理アプリの問題が告発され、サービス停止になった事例もたくさんある。サービサーにおいても、アプリに対する評価が悪く、人気がなければ事業収益を得られないわけだから、ユーザーの意向に無関心ではないのだ。

第3章でも述べた通り、技術にまつわる問題の大半は、機能面における技術それ自体の問題というよりも、それを運用する人間側の問題である。逆に言えば、私たちユーザーには、測定技術と積極的に関わり合うことで、現状の不満や課題を解消する道もあるのだ。

「測定-管理化」への反論としては、次の論点も重要だろう。すなわち、明示的な指標化・数量化は少なくともコミュニケーションの役に立つ、ということである。例えば、性的虐待やその他のトラウマを経験した人を含め、多くの人は、自分の性的な欲望を恥ずかしいと感じたり、セックスにおける自分の興味関心や嗜好が何なのかを特定するのが難しいと感じたり、あるいは自分の好みが分かっていても、パートナーと効果的にコミュニケーションをとることができないことがある。このような場合に、明示的な指標化・数量化は、主観的な感情を言葉にして伝えるのを手助けし、パートナーとのコミュニケーションを円滑にする。実際、セックス・リレーションシップ・セラピーの一部では、相手がいるか否かにかかわらず、自分の性的な経験の主観的な側面を記録し、可視化することが行われている。[20]

また、ユーザーが測定された値を狭く捉え、それに夢中になっている場合には、アプリの側から警告を発し、ユーザーの行動変容を促すことも可能だろう。そもそもQSやQRの主たる目的は、このような事態に備えることなのだから、「測定–管理化」の問題には、その徹底によって応えることを考えるべきだろう。この点に疑問がある読者は、そもそも「測定–管理化」の問題は、QSやQRの登場よりも前から存在すること、そして、それは私たちの「ダメさ」に起因することを思い出すべきである。

このように、「測定–管理化」の問題は、技術の向上やユーザーとのコミュニケーションによる改善・改良、さらにはアプリ側からユーザーへ発する警告などによって解消できる可能性がある。この問題は技術的な水準にある程度還元できるゆえに、時間の経過とともに緩和されていくだろう。

③交換–互酬化

この問題は、「測定–管理化」の結果として、私たちに備わっている内発的な動機が、すべて道具的（交換可能）な動機に変容してしまう、というものであった。例示したのは、カップルが相互監視アプリを使用することで、相互信頼（内発的価値）が、浮気をしていないという信用（道具的価値）に置き換わってしまうという問題である。これについては、信用が必ずしも相互信頼より劣っているわけでも、非交換的な互恵関係が常に最良のモデルともいえない、ということを理解すべきだろう。

というのも、とりわけ親密な互恵関係では、より力のあるパートナー（多くの場合、男性）に利益をもたらし、人間関係における不当なジェンダー不平等を永続させる可能性があるからだ。例えば、よくあるフェミニストの批判は、女性が「自由に」自分のキャリアを持てるようになったとしても、結局は家事や介護のほとんどをしているというものだ。つまるところ、資源や時間がパートナー間で常に公平に共有されている、とはいえないのである。

人間関係における行動がトラッキング・定量化されていなければ、このような状況が続いても何ら不思議ではない。この点において、トラッキング・定量化の導入は、奉仕を当然視するような権威主義的な社会関係に対して、より高い公平性と説明責任をもたらす可能性があるのだ。もちろん、支配的で虐待的な関係性を志向する人物が、パートナーに対して一方的かつ秘密裏に監視アプリを利用するといったケースは、許されることではない。したがって、お互いの同意の下に導入することは最低限必要なはずである。

以上の反論の要点は、どのような社会関係にも内在的かつ道具的な価値があり、それらの価値づけは固定的ではなく実践的なものである、ということだ。誰かにとっては道具的でも、別の誰かにとっては内在的な価値があるのだ。それを端的に示す、興味深い事例がある。

ある記事によると、ダニエル・リーブスとベサニー・ソウルは、自分ではやりたくない雑用や家事があるとき、相手方にやってもらうためにいくら支払うかを提示するのだという。[21]彼らは、相手に委ねたいことを「入札にかける」ことで、完全な公平さと恨みをゼロにすることを達成しているのである。この試みが興味深いのは、相手の状況に鑑みて、あえて入札に負けて仕事を引き受けることもできるということだ。彼らの実践は、多くの人には奇妙に思えることだろう。しかし、彼らにとっては関係を良好に保つ価値ある試みなのだ。

この事例が示唆するのは、トラッキング・定量化の導入は、人間関係に付随する内在的価値と道具的価値のバランスの認識を変えるだけでなく、私たちの注意を引きつける、新しい価値を作り出すことにも寄与するかもしれない、ということである。

④市場―商品化

この問題は、ＧＡＦＡをはじめ特定の企業に依存せざるを得なくなったり、企業が提示する選択肢の中に合わせて、行為の可能性の幅が狭められたりする、というものだった。こうした批判は十分に根拠があり、傾聴に値するといえる。

この問題の典型例はネット検索に関するものだろう。私たちは調べものをするとき、検索エンジンを頻繁に用いている。その中でもGoogleの検索エンジンは、中国を除けば、全世界的なトップ・シェアである。アメリカでは、38州の司法当局が「検索における独占的地位を乱用し、競争を阻害している」として、独占禁止法違反でGoogleを訴えているほどだ。日本も例外ではなく、「ググる」という言葉がネット検索それ自体を意味するほどに、Googleの検索エンジンの利用率は圧倒的だ。

このような圧倒的な利用率は、アメリカで38州の司法当局が懸念するように、消費者に対する高品質のサービスやより良いプライバシーの保護、広告主に対するより良い広告効果、広告費の削減などを阻害する可能性がある。というのも、検索エンジンは、検索したフレーズと関連性の高い内容が表示されると思われがちだが、実際にはそうではないからだ。こうしたサービスは広告を主要な収入源とするために、関連性が高い情報よりも、広告費をより多く支払ったクライアントの広告を優遇している。そのため、検索結果の上位に表示されるのはそれらの広告であって、関連性の高い情報とは限らないのである。

これは、いまやよく知られたことなので懸念としてはよく分かる。しかしこの事例でも、まったく対応策がないわけではない。上述の懸念、つまり「Google検索は死んでいる[22]」ことがよく知られているゆえに、ユーザーの側でも対策が採られているのだ。一例を挙げれば、「検索ワード＋reddit」というフレーズを用いて検索するという方法がある。Redditは二〇二二年二月時点で最も人気のあるソーシャル掲示板サイトで、ここに掲載される情報も加味してGoogle検索を活用するわけだ。このような、信頼性の高い情報を得るための「小技」は、技術の問題には技術で、サービスの問題にはサービスで応じる試みであり、同時にＧＡＦＡといえども盤石ではないことを示唆するものだ。

先述のように、商業主義に走るとユーザーの信頼を失うことにもなるので、サービサーからすれば、「市場–商品化」の懸念に積極的に応えるのが最善策といえる。それは翻って、ユーザーにとっては「抵抗の可能性」があることを意味する。実際、サービス利用のためのアカウント作成において、ユーザーの性別を問う項目が「男／女」であったことに批判が集まり、サービス全体のジェンダーバイアスの見直しが進んだという事例もある。

私はこうした「ローカルな抵抗」の積み重ねこそが重要だと思うのだが、これではあまりに消極的すぎる、という声もあるかもしれない。そこで、それに満足しない読者のために、アプリ市場にも人びとが自発的に開発を進めるオープンソースや、社会的・学術的な資金提供によって開発されたアプリも多数あることを指摘しておこう。

さらには、ボランティアが自分の地域の地理的な特徴や、大気の質、交通情報や犯罪率を収集してデータ化し、社会運動などに繋げる「市民センシング（citizen sensing）」と呼ばれる運動が存在することも紹介しておこう。例えば日本の福島には、震災当時、低コストのセンサーを使用し、放射線と汚染物質のレベルを測定する、SAFECASTというプロジェクトがあった。このプロジェクトのおかげで、住民の多くが最悪の被害を受けた地域を避けて街を移動することができたのだ。これは「市民センシング」の明確な例の一つだ。[23]

こうした試みでは、既存のアプリが使われることが多いが、その利用の仕方はアプリ開発・提供者の思惑を超えたものである。企業の思惑とアプリ利用者の目的は、必ずしも一致するわけではないのだ。

以上を要するに、「市場–商品化」の懸念は無視できるものではないが、企業が提供するトラッキング・定量化のサービスが尽《ことごと》く悪いわけではない。その危険を視野に入れつつ、私たち自身の目的のために、ときには声を上げ、また別のときには企業の思惑を超えることが重要だ。「小技」こそ、私たちの抵抗の可能性であり、現実的な対応策ではないだろうか。

⑤依存–能力退化

ここまでに述べた問題は、結果的に、私たちの能力を退化させるのではないかという懸念がある。前章では、厳しい環境を生きるイヌイットの人びとの危険を察知する能力が、ＧＰＳなどの技術に依存することで退化したと思われる事例を取り上げた。この事例は「依存–能力退化」という懸念に信憑性を与えるものである。しかし、この問題は、私たちが技術に従属するのではなく、技術とより能動的に関わることで、ある程度解消できるかもしれない。

この点を論じるに当たり、まず確認すべきは、イヌイットの人びとが利用してきたＧＰＳは、いわゆる「ナビゲーション（Navigation）」機能だったことである。ナビゲーション機能は、予め設定した目的地までのルートを示すもので、それに従えば効率的に目的地にたどり着くことができる。地図アプリや自動車のナビなど、読者も利用経験があるはずだ。この種のナビゲーション機能の利用において、私たちがすべきことは基本的にその指示に従うことだけである。私たちには受動的な関わりがあるだけなのだ。

このようなナビゲーション機能に対して、「ウェイファインディング（Wayfinding）」と呼ばれる、別の機能が考案されている。これは目的地までのルートを指し示し、リードするのではなく、名称の通り道を探し出すための「手掛かり」を私たちに与えるものである。[24] 利用者が現場の状況に応じて適切に判断すること（例えば、混雑の回避や速度調整、安全性の確保など）を支援する点で、ナビゲーション機能とは異なり、私たちの記憶や知覚、注意など能力をむしろ増強するといえる。ウェイファインディング機能は、本書が論じてきた技術との能動的な関わりの実例なのである。

　ウェイファインディング機能はその効果についても、すでに検証がされている。例えば、仮想上の都市を舞台にして、通常のナビ（ＧＰＳ）と、ウェイファインディングな機能のどちらが、利用者に資するものであったかを検証する実験が行われている。その実験では、通常のナビ機能が「三〇〇メートル先を左折」といったルート情報しか提供しないのに対して、ウェイファインディング機能は、位置情報に加え、レストランの名前やそのメニューなど、位置情報と関係ない付帯情報も与えるように設定された。

　この実験の結果、ウェイファインディング機能は、ナビ機能を利用しない場合や、通常のナビ機能を使用した場合よりも、ユーザーの移動における正確性を向上させ、空間全体に関する認識能力をも改善したことが明らかになったのだ[25]。繰り返せば、ウェイファインディング機能は、私たち自身が周囲の環境を学習し、より自律的に環境に関わるのを促進したのである。このような技術の活用は、私たちの能力を退化させるどころか、むしろ向上させるものである。このウェイファインディングについては、次章でさらに詳しく検討する。

本章では、第4章で見た批判への反論を検討した。その結果として、いまや私たちは批判のいくつかは視野狭窄であると結論できる。しかし、だからといって批判のすべてが不当だというのではない。本章で述べた反論は、技術にはポジティブな側面があること、しかるに、ネガティブな側面を補正する必要があるのを明らかにしたに過ぎない。そう考えれば、第4章で検討した懸念点は、ＱＳやＱＲといったトラッキング技術を上手に使っていくための、利用に際して従うべき「ガイドライン」として捉えることができるように思う。

そこで次章では、このガイドラインを考慮して、改めて何が議論されるべきかについて、先述のウェイファインディングを詳しく取り上げ検討することにしよう。

第6章　道徳性を補完するテクノロジー

前章では、関係的自律や認識的パターナリズムの観点から、セルフトラッキング技術に対する批判を検討した。また、セルフトラッキング技術の浸透とＱＳ運動の広がりは、必ずしも自己責任化や市場化、人間の能力の後退ばかりを引き起こすのではなく、人びとが技術を通じて自律しようとする一連の動きでもあることを見た。

そして最後には、セルフトラッキング技術への批判に対する反論を検討する中で、「ナビゲーション」と「ウェイファインディング」という、二つの技術の異同には、セルフトラッキング技術の可能性を考える上で、重要な論点が含まれていることを確認した。

そこで本章では、この二つの技術を別の角度からも検討し、その方向性や役割の違いをさらに掘り下げてみたい。

認知か、メタ認知か

前章で紹介した「ナビゲーション」と「ウェイファインディング」という二つの機能は、それぞれ利用する人に働きかける水準が異なる。結論を先取りすれば、ナビゲーション機能は、利用者の認知活動を効率化・合理化する「単純な認知能力の増強」に、そして、ウェイファインディング機能は、自分の認知活動を客観的に認知し、自分自身を制御する「メタな認知能力の増強」に貢献していると考えられる。

　なぜ、そういえるのか。以下では、その理由を明らかにしよう。

①ナビゲーション

　イヌイットの事例では、ナビゲーション機能によって達成されたのは、最短距離の移動や燃料コストを下げるといった合理的な結果であった。ここからも分かる通り、経路や操作手順を案内するナビゲーション機能は、一般に、特定の目的の達成プロセスを合理化する役割がある。ナビゲーション機能に従えば、より効率的に、つまり「より楽に」達成することができる。

　けれども、「楽になる」のは良いことばかりではない。というのも、「楽になる」にはナビゲーション機能に頼らねばならず、楽になればなるほど、私たちが技術に従属する可能性も強まることになるからだ。実際、昨今注目を集めている概念で、第1章でも触れたナッジ（選択アーキテクチャ）にも同様のことがいえる。

　ナッジの事例として有名なものに、男性用の小便器にハエのシールを貼ることで「的」がわりになり、結果的にトイレの清掃費用が削減されるというものがある。実際にアムステルダムの空港では、これによって清掃費用の8割削減を達成している。

このようなナッジは、望ましい結果を導くための、一種の道徳的な能力の増強と見なされることがある。しかし、シールの存在なしには望ましい結果が得られにくいという意味では、ナッジが私たちの道徳的な能力を増強するにしても、それは一時的なものである。

これは、ナッジが私たちの理性を迂回することで、結果的に学習機会を奪うためだと考えられる。つまり、ナッジは目先の私たちの行動を道徳的なものに変えるかもしれないが、私たちに「なぜ、そうしなければならないのか」を教えるものではないのだ。その意味でナッジは、ナビゲーションと同じく目的達成の合理化には寄与しても、行為の理由や動機を私たちに示し、「気づかせる」ものではないのである。

こう言うと、読者の中にはやはり能力の増強は、一時的ではなく、長期的であることが重要なのだろうと、そう思う人がいるかもしれない。しかし、実際はそうともいえない。長期的に能力が向上したとしても、それだけですべてが喜ばしいものになるとは限らないのだ。

例えば、衝動をコントロールする能力（自制心）について考えてみよう。

この能力に優れた者は、特定の物事を根気強く続けたり、感情に左右されたりせずに仕事を遂行することができる。私たちの大半が、アクラシア（自制心の無さ）の問題を抱えていることからすれば、この能力の長期的な保持や増強は望ましいことに思える。

しかしそれでも、衝動をコントロールする能力の増強は、直ちに良いとはいえないのだ。

例えば、ある仕事を投げ出さずに根気強く続ける能力（自制心）があれば、ストレスのかかる仕事でも最後までやり遂げることができるかもしれない。しかし、限度を超えたストレスの中で仕事を続ければ、それが心身の不調を招くことは明らかだ。

また、こんな事例も考えられる。ある種の拷問を行う者は、被拷問者に与える苦痛を長引かせることが必要だ。拷問者が衝動をコントロールする能力に優れていれば、悲鳴や絶叫の中でも、拷問をやり遂げることができるだろう。このことは、拷問者の役割にとっては重要かもしれないが、しかしだからといって、それを手放しで賞賛できるとは思えない。

では、他者に対する共感能力の場合はどうだろうか。殺伐とした現代社会では、他者を思いやる能力は、多すぎて困ることなど無いように思える。しかし、これとて現実は異なる。

例えば、医療従事者には患者に対する共感は欠かせない。しかし、そうした共感も過度で高頻度なものになれば、医療従事者自身の精神を蝕《むしば》んでしまう。実際に「感情労働」という言葉があるように、医療現場や接客を伴う仕事に就く人は、ストレスを抱えやすいことが指摘されている[1]。常に共感能力を発揮することもまた、心身の不調の原因になるのである。

これらの事例が示しているのは、単純な能力の増強は、それが自制的な能力であれ、道徳的な能力であれ、決してそれ自体では、好意的に評価し得ないということである。

ダメ押しに言えば、それは認知能力も同様だ。記憶力の増強は、受験を控える者には是非とも試したいものだろう。しかし、もしその受験者が心的外傷後ストレス障害（ＰＴＳＤ）を患っていたら、記憶力の増強はつらい記憶を忘れ難くし、心身を害することになるだろう。

以上を要するに、重要なのは次のことだ。一時的か長期的かにかかわらず、単純な能力の増強を図るだけでは問題の解決にはならないということである。それは、どのような技術を用いても同じだ。問題の解決にとって何より重要なのは、状況に応じて適切に判断しうる、そのような主体であるかどうか、ということだ。そうした主体になるために、どのように外部の力、すなわち技術を用いるか、これが本書の主題なのだ。

②ウェイファインディング

単純な能力の増強にまつわる問題点を踏まえて、以下では、ナビゲーション機能と対比したウェイファインディング機能について、もう一度考えてみよう。

前章で論じたように、ナビゲーション機能が指示への従属という意味で、技術との「受動的な」関係をもたらすとすれば、反対に、ウェイファインディング機能は反省を促すという意味で、技術との「積極的な」関係をもたらすものだと考えられる。つまり、ウェイファインディング機能は、技術との積極的な関係の中で、利用者に対して学習を補助する役割を果たし、そうすることで「メタな認知能力の増強」を支援するわけである。

これを別の角度から述べるなら、ナビゲーション機能のような技術は、判断を技術に依存する可能性が高まる点で、私たちの能力を「代替」するものである。他方、ウェイファインディング機能のような技術は、判断が技術により精緻《せいち》になる可能性が高まる点で、私たちの能力を「補完」するものだといえる。

こうした相違を踏まえて、改めて第４章で述べたＱＳやＱＲへの懸念を捉え返せば、それは技術によって、私たちの能力が代替されてしまうことへの憂慮といえる。この観点から見た場合、諸々の批判には頷けるものがある。

また、第３章で述べた「ゴッドマシン」を思い出してほしい。ゴッドマシンは、私たちが道徳的に越えてはならない一線を越えようとするときに、その意思に介入するマシンとして想定されたものであった。これまでの議論を踏まえれば、ゴッドマシンは私たちを道徳的な主体に変えることができるとしても、それが私たちの道徳的能力を代替するものである限り、やはり留保なしに受け入れることはできないだろう。少なくとも、ゴッドマシンが状況に応じた的確な判断をできるようになるまでは。

技術を優れた指南者として人間の風上に置くのは、つまり技術を人間の主人にするのは、時期尚早だということである。技術開発の水準は、まだその段階にはないからだ。しかし、だからといって、技術を単なる道具として人間の風下に置くのは、つまり道具を十全に使いこなす主体として人間を見るのは、人間をあまりに高く評価しすぎている。私たち人間と技術はむしろ、互いを補完し合うことで、どうにかバランスを取り合っていると考える方が適切だ。そうした対等な関係を保ってこそ、人間も技術もマトモなものになるのだ。したがって、ウェイファインディング機能は、現時点での一つの理想といえるかもしれない。

そこで以下では、この理想のより具体的な形について、もう一歩踏み込んで考えてみたい。

私たちに熟慮を促す「ソクラテスＡＩ」

スペインの倫理学者フランシスコ・ララは、ユーザーが自分でより良い道徳的判断を下せるようになるための、「アドバイザーＡＩ」を提案している。[2]

ララの提案する「アドバイザーＡＩ」の利用手順は次のようなものだ。

まずユーザーは提示されたリストの中からいくつかの項目を選ぶ。この項目の選択は、ユーザーの基本的な価値観を把握するためのものだ。ララの想定では、価値観の分類は、倫理学の大区分でもある「義務論」「功利主義」「徳倫理学」の三つに沿ってなされる。つまり、ユーザーの価値観が、この中のどれに最も近しいのかが特定されるわけである。

「アドバイザーＡＩ」は、この段階で特定された価値観を持つ者としてユーザーを評価し、基本的には、それに沿ってアドバイスをする。ララが、なぜこのような手順を最初に据えるかと言えば、ユーザーの道徳的自律性を確保するためである。ユーザーがどのような価値観を持つにせよ、まずはそれを尊重することが重要だというわけだ。

しかし、この提案だけでは、結局のところ、「アドバイザーＡＩ」のアドバイス、それも自分の価値観に合うアドバイスを受け入れるだけになるので、ユーザー自身が熟慮するような能力の「補完」や、自律性を促進するものとして十分であるとは言い難い。

そこでララは、このシステムにさらに、ソクラテスが対話の中で用いた手法を導入することも提案している。ソクラテスは、対話を通じて反省を促し、対話者が有徳な存在者に自力で到達するのを手助けしたと言われる。ソクラテスの方法は、一般に「産《さん》婆《ば》術《じゅつ》」と呼ばれるが、この方法は、いまでも道徳的な学習を促進するために活用されている。

ララは、この「産婆術」をシステムに導入しようというのである。「アドバイザーＡＩ」は、ユーザーに継続的に問いを発することで産婆術を実践する。つまり、ユーザーに対して間違い（不正確さ）を指摘するのではなく、ユーザーとの対話を最後まで続けることで、ユーザー自身が自分のバイアスに気づくように促すのである。ララによれば、この技術は、「経験的、概念的、論理的、論証的、倫理的な厳密さの要件に従って、道徳的な信念や価値を評価したり創り上げたりする、ユーザーの能力を開発することを目的としたものである」[3]という。

このような「アドバイザーＡＩ」を、ララは「ソクラテスＡＩ（Socratic AI）」と名付けている。「ソクラテスＡＩ」は、単にガイドラインに従うだけでなく、独自の表現を伴って行動するＡＩであり、ユーザーに関する情報を絶えず更新することで、ユーザーを道徳的にサポートする性能を高めていくものと想定されている。

いま時点では、「ソクラテスＡＩ」は絵空事に思えるかもしれない。しかし、ララが念頭に置いている対話アルゴリズムは、実は、すでに多くの実用的なシステムが開発されている。例えば、イーロン・マスクが支援していることでも有名な、人工知能開発を行う非営利団体「OpenAI」が開発した言語生成システム「ＧＰＴ−３」がある。ＧＰＴ−３は大規模な機械学習により、いまや人間が作成したものと見分けがつかないレベルの文章を作成可能である。これらを利用することで、より自然な会話が可能になっていくだろう。したがって、「ソクラテスＡＩ」は実現不可能な、まったくの空想の産物というわけでもないのだ。

　こうした「アドバイザーＡＩ」によるユーザーの自律性の促進は、脳への電気刺激のように、直接的かつ即座の変化を意図したものではない。むしろユーザーは、ＡＩとの相互行為によって、自身の自律性の促進をＡＩと協働で少しずつ達成していくのである。「ソクラテスＡＩ」は、ウェイファインディング機能のように、技術との積極的な関わりを促しながら、有徳になるようにサポートしてくれる仕組みなのだ。

アドバイザーＡＩの中立性を保持するには

　この仕組みをより倫理的なものにするには、システムの中立性をどのようにして保持していくかを考えねばならない。ララが「ソクラテスＡＩ」の利用手順に示したように、ユーザーの価値観に対して、中立性を保つこともその一つだ。だが、それだけではなく、関係そのものにおいても、中立性を保つことが必要かもしれない。それはどうしてか。

「アドバイザーＡＩ」の開発に際しては、ＶＲやＡＲ技術を利用したり、またアバターのようなキャラクターを利用したりすることで、ユーザーの親近感をより獲得する戦略が取られるかもしれない。Microsoft Officeのアシスタントが、イルカのキャラクター（カイル君）だったことを覚えている人もいるだろう。近年では、天気予報に特化したＡＩが登場しているが、それも「ウェザーロイドAiri（アイリ）」として擬人化されている。このような戦略は、ＰＣが普及し始めた当時から現在に至るまで、非常にありふれたものである。

しかし、「アドバイザーＡＩ」が人間や動物の姿にデザインされると、必要以上に感情移入が生じたり、逆に嫌われてしまったりして、期待した効果が得られない可能性がある。感情移入は依存に繋がり、嫌悪感は反発に繋がる。そうなってしまうと、メタな認知機能の増強には貢献しなくなってしまう。それゆえ、「アドバイザーＡＩ」には、適度に感情的な距離を取ることができる、そのような「見た目」の設計が必要だといえる。

また、ユーザーの感情や態度を模倣する「アフェクティブ・コンピューティング」技術を、「アドバイザーＡＩ」に搭載することにも注意が必要だ。表情・話し声・身振りなどが人間と近くなると、それによってもユーザーは感情を左右されやすくなる。近未来のＳＦ映画やアニメ作品に登場するような、必要以上に感情豊かなキャラクターとしての「アドバイザーＡＩ」は、むしろ私たちの自律性の促進にとっては、障害となる可能性が高い。この点でもまた、適度に感情的な距離を取ることができる設計が望まれるのである。

　要するに、関係性においても中立性が保持されるようにしなければ、「アドバイザーＡＩ」は人間の側の都合で、道徳的な判断や倫理的な決定をアウトソーシングされることになり、結果的に決定権がシステムに移行してしまうことになる。システムが意図して人間を従属させなくても、人間が進んで従属するようになってはダメなのだ。この点の解決には、ＵＩやＵＸの設計が、つまりシステム・デザインが貢献することになるだろう。

　未来には、親切で適度な距離を保ってくれる、そのようなアドバイザーが存在しているかもしれない。そう期待したいところだが、しかし、その未来が来るかどうかは、現在の取り組み次第ではないだろうか。以上で述べたような設計の倫理を考えておくのは、とても重要な実践だ。そこで以降では、設計の倫理について、あともう少しだけ述べておきたい。

設計者に求められる倫理

　第５章でも議論したフェルベークは、設計の倫理についても論じている。彼が何を論じているか、その骨子を見ておこう。

　フェルベークによれば、「設計者というのは、実践的な倫理学者[4]」でなければならない。

設計者は、望ましいと思われる要素を技術に組み込むことができるだけでなく、そのような設計によって技術が持つ潜在的・顕在的な影響についても考える必要があるという。フェルベーグがこのように言うのは、技術は私たちを従属させることも、自律させることもできるからだ。第４章や第５章でも見たように、技術は私たちとの関わりの中で、私たちに対して望ましい効果を発揮することもあれば、反対に悩ましい効果を発揮することもある。それゆえに、設計者は技術がより望ましい効果を発揮するように、そのように設計する責任を負っているというのである。

　このようなフェルベークの主張はもっともだと思える。しかし、あえて穿《うが》った見方をすれば、この主張は、従属先を技術ではなく、設計者に振り替えただけとはいえないか。つまり技術が望ましい効果を発揮して私たちを自律的にするとしても、それがすべて設計者の意図によるのであれば、本当の意味での自律とはいえないのではないか。

　こうした疑念に対してフェルベークは次のように反論している。

まず、技術が望ましい効果を発揮するように設計すること、つまり意図的に技術を「道徳化」することは非道徳的なことではない。例えば、ヒーターが一定の温度に達したときに警告音を発したり、自動的に温度を下げたりする設計は、温度をさらに上げる自由を侵害し、人間の尊厳を傷つけているわけではない。フェルベークはこうした設計は、むしろ全体として環境や安全への配慮を促し、そうすることで関係的な人間の自律に貢献しているという。これは第5章で確認した論点だ。

これに加えて、フェルベークは、利用者側から技術への、そして設計者へのフィードバックの回路があること、あるいは回路を開くべきことを指摘している。つまり「技術の道徳化」における設計を、より民主的に開いていく必要があるというのだ。

フェルベークは次のように述べている。

> 技術的文脈での道徳的主体性とは、技術的に媒介された自身の道徳的主体性の形成に能動的に参加することである。[5]

この主張を敷衍《ふえん》すれば次のようになるだろう。すなわち、私たちは技術によって、あるいは設計者によって、決定されたり制御されたりするだけではなく、技術に能動的に関わることが可能であり、またそうするべきだということである。そして、このような関わりが保障されている限り、私たちは技術にも設計者にも従属することはないのである。

この主張は要するに、設計者と利用者という二つのカテゴリーがあるのではなくて、利用者もまた設計者の一部であり、そうあるべきだと言っているのだ。そのような意味で、私たちは誰もが実践的な倫理学者でなければならない。これが、フェルベークの主張の眼目だ。

私たちが実践的な倫理学者として技術の設計に能動的に参加するなら、技術を用いた自律性の促進は、それ自体、自治的な行為だということもできる。実際、ＱＳやＱＲの実践者の自己理解は、第２章や第３章で見た通り、まさにそのようなものだった。彼らは、フィードバックを通じて設計に影響を与えることもあれば、時には設計者の意図を無視して、独自の運用の仕方を見つけることで自治を進めてもいた。こうした取り組みは、失敗であれ成功であれ、大いに参照されるべきものだ。

私たちの誰もが多くの欠点を抱えているが、幸いなことに、私たちには欠点を乗り越えようと試行錯誤を繰り返す先行者たちがいる。彼／彼女らの試みが、そして自分自身の試みが、技術と私たちの関係を更新していく糧《かて》になる。「One for all, All for one」（一人はみんなのために、みんなは一人のために）という倫理的なスローガンは、技術の利用の段階だけではなく、技術そのものの設計の段階でも、やはり大切なものなのだ。

最終章　慎重で開放的なスタンス

本書のおわりに、これまでの議論を振り返っておこう。

第1章の主題は「分かっているのにできない」という、自制心の無さにまつわる問題であった。これは誰にとっても悩ましい問題で、古くから「アクラシア」として知られている。しかし、昨今の情報過多の時代では、自分に都合の良い情報を集めて自分自身を騙す「自己欺瞞」もこれに付け加わっている。本書では、「アクラシア」や「自己欺瞞」といった私たち自身の問題を、ひとまとめに「ダメさ」と表現したのであった。

私たちの「ダメさ」は、コロナ禍での公衆衛生や気候変動問題などでも明らかなように、自分自身の利害だけでなく、社会全体の利害に直結する問題である。そのため公共政策の分野でも、「欠陥のある人間性」という主題に注目が集まり、啓蒙の必要性が叫ばれている。

しかしながら、この問題の本質は、欠陥があることに気づいても、自分だけではどうしようもないことにこそある。そこで第2章では、現代の知性改善の試み、すなわち技術という外部の力を借りる実践を取り上げた。その代表例ともいえるのが、情報技術を用いたセルフトラッキングである。この技術を用いたデバイスやアプリなどによって、自己を管理する方法は「QS（定量化される自己）」と呼ばれ、いまや世界的なムーヴメントに発展している。

このムーヴメントの広がりの中で、「QS」には一つの変化が生じてきた。その変化とは、自己を管理する方法からの、他者との関係性を改善する方法への拡張である。「ＱＳ」は自分自身のみならず、自分を取り巻く状況をも定量的に可視化することにより、他者との関係性を改善・維持する「ＱＲ（定量化される関係性）」へと拡張されているのだ。第3章の主題はこの点、セルフトラッキングが自分自身の利害を超えて、社会全体の利害に直結する方法の一つになるということであった。

けれども、それは本当に歓迎されることなのだろうか。たとえ利益があっても、ＱＳやＱＲは私たちをサポートすることを超えて、私たちを管理・支配する技術になることはないのだろうか。要するに、自己の管理が他者の管理へと、そして他者からの管理へと横滑りすることはないのだろうか。これは非常に重要な問いである。そこで第4章は、ＱＳやＱＲのリスクが何であるかを整序し、五つの懸念点として提示した。すなわち、①新自由主義化、②測定‐管理化、③交換‐互酬化、④市場‐商品化、⑤依存‐能力退化がそれである。

これらは、何れもが自由と自律性に関わる問題である。しかし、第1章に立ち戻れば、私たちはこう反問せざるを得なくなる。「そもそも私たちは本当に自由で、自律的な存在なのだろうか」と。フーコーやフェルベークによれば、私たちは他者や技術に少しずつ依存することで、つまり関係することで自律（「関係的自律」）している。そうであれば、ＱＳやＱＲ

は、技術による自律性の補完という論点から、再度評価できるのではないだろうか。そうすれば、第4章で検討した懸念は、善用に向けた「ガイドライン」として利用することもできるはずである。「私たちの自律を促進する技術」の可能性、これが第5章の結論だ。

　この結論が現実味を持つには、自律性の促進とは何を意味するのか、これも検討しておく必要があった。そこで第6章では、認知能力の増強に関して、「ナビゲーション」（＝認知）と「ウェイファインディング」（＝メタ認知）という二つの論点を比較し、どのような技術、そして、技術とのどのような関わりが望ましいのかを示した。

　以上の議論を踏まえて、最後となるこの章では、改めて私のスタンスと議論の枠組みについて示しておきたい。つまり、「慎重で開放的なスタンス」についてである。

高く飛ぶな、低くも飛ぶな

　技術に関する教訓は、神話から引き出されているものが多くある。本書ではギリシア神話の英雄オデュッセウスを紹介したが、最後に別の神話を引き出そう。

　その一つは有名な「バベルの塔」である。旧約聖書の「創世記」で描かれるバベルの塔は、人間の傲慢さを示すものとして解釈されている。天まで届く塔を創ろうとした人間は神の怒りを買い、塔は壊されてしまう。そして、それまで一つの言語を用いて暮らしていた人びとは、塔の破壊後は別々に暮らすことになり、言語が分かれて相互のコミュニケーションが困難になってしまうのだ。これは技術批判の文脈にも当てはまるもので、技術開発に邁進する人間の「傲慢さ」を指摘する際に持ち出される神話である。

一方、バベルの塔には別のバージョンの解釈も存在する。それは神が私たちの「傲慢さ」に怒ったのではなく、私たちが「怠惰」であることに怒った、というものだ。バベルの塔はなかなか完成しない。それは技術が発展するほど作業が楽になるからと、私たちが「今ここ」で努力することを放棄しがちになり、作業が遅々として進まないからだ。つまり、いつまでたっても作業を進めない人間の「怠惰」に神は怒ったというわけである。後者の解釈は神学的・文献学的には異論もあるだろうが、経験的にはどちらも正しいように思う。なにせ私たちは技術に対しては、傲慢であると同時に怠惰でもあるのだから。

もう一つ、「イカロスの神話」についても触れておこう。この神話では、蝋《ろう》で固めた翼を持ったイカロスが、クレタ島の迷宮ラビリントスから、空を飛んで脱出する姿が描かれている。ことの顛末は、「勇気一つを友にして」の歌も有名なので、知っている読者も多いだろう。イカロスは脱出には成功したものの、警告を無視して太陽に近づきすぎたことで、翼の蝋が溶け、墜落して死んでしまうのだ。

　この神話は、警告を無視して高く飛びすぎたという点で、人間の傲慢さを戒《いまし》める物語として解釈されることが多い。しかし、この神話の教訓はそれだけではないのだ。物語を正確に追えば、優れた技術者でイカロスの父でもあるダイダロスが、鳥の羽を糸と蝋で繋いで翼を作ったこと、それゆえにイカロスが飛び立つ際に、次のように警告したことが分かる。


　高く飛ぶな、しかし低くも飛ぶな。


　このように警告したのは、高く飛べば太陽の熱で蝋が溶けてしまい、低く飛べば海の水しぶきで鳥の羽が湿ってしまうからだ。このメッセージの二面性は、実は、先にバベルの塔で見た「傲慢と怠惰」に共通するものである。つまり、高く飛んで太陽に近づく「傲慢さ」と、翼を適切に利用せず海面に近づく「怠惰さ」が暗示されているのだ。

　バベルの塔の二つの解釈やイカロスの神話は、つまるところ、私たちに「技術の利用に慢心するな、しかし、技術の放棄、ないしは依存もするな」と教えているのである。

　こうした教訓に関連して、技術に対しては「滑りやすい坂」と呼ばれる議論もある。これは、ある主張を認めてしまえば、坂を滑り落ちるように、それに類似する主張を次々に認めることに繋がり、最後は悲劇的な結果になるというものだ。例えば、遺伝性疾患を治療するための遺伝子編集の技術開発を進めると、それが人間の複製（クローン）や、優れた遺伝子を持つ子ども（デザイナー・ベイビー）などを生み出すことに繋がっていき、後戻りできなくなるといった議論である。

滑りやすい坂論に立脚する人たちは、技術開発が悲劇を生まないようにするには、はじめの些細な決断も慎重に行わなければならないと主張する。この議論には反論もあるが、問題のある技術を安易に利用してしまい、思わぬ結果を招いてしまわないように、私たち自身が技術を深く理解する必要があることは間違いない。

したがって、技術の適切な利用方法を考えることは、技術の正確さや有用性を考えることと同じくらい重要なテーマである。

直接的エンハンスメント、間接的エンハンスメント

ラビリンスから脱出するには翼が必要だったように、私たちが困難から逃れてより高みへ登るには、自らの能力を向上・増強する必要があるかもしれない。しかし、まさにイカロス

がそうだったように、能力の単純な向上・増強では十分ではないのである。これは前章でも述べた論点だ。

では、どのようにすれば良いのか。

「高く飛ぶな、しかし低くも飛ぶな」という警告を詳しく検討するために、技術をどのように用いるべきかを、「エンハンスメント（向上・増強）」という観点から考えてみよう。

近年の諸科学の進歩、とりわけ脳神経科学、神経薬理学、遺伝子工学、情報工学などの先端科学の進歩に伴い、人間の身体的・認知的・道徳的特徴を変化させることができるようになってきている。こうした試みは「ヒューマン・エンハンスメント」と呼ばれており、それには、本書のテーマであるトラッキング技術を用いた情報工学的な介入や、遺伝子改良や薬理学的なドーピング、あるいはサイボーグ化なども含まれる。

本書では、エンハンスメントについての詳述は割愛するが、ここでは「直接的エンハンスメント」と「間接的エンハンスメント」という、二つの方法論の違いを確認しておきたい。

①直接的エンハンスメント

本書では、「直接的エンハンスメント」とは、ある能力の単純な増強を意味するものとしよう。例えば、新型コロナウイルスのワクチン接種は、ウイルスに対する免疫能力の増強といえるので、「直接的エンハンスメント」ということになる。これと同様に、薬剤を用いて記憶力や共感能力を増強することができれば、それは「直接的エンハンスメント」である。

このような能力の増強は、前章でも指摘した通り、受験生や教師にとっては好ましい面もあるが、例えば、心的外傷後ストレス障害の患者の記憶力の増強や、医療従事者の共感能力の増強は、つらい記憶を忘れられなくなったり、患者に対して共感しすぎたりすることで、むしろ精神的苦痛をもたらすかもしれない。つまり、このような単純な能力の増強は、いつでも、誰にとっても好ましいとは言えないのだ。

これは、第４章で述べたＧＰＳを利用するイヌイットのように、道を最短距離で進めるようになったとしても、逆効果になる場合があるのと同じことだ。ある能力がどんなに増強されても、ＴＰＯをわきまえなければ良い結果は伴わないのである。

②間接的エンハンスメント

そこで、もう一つの方法論である「間接的エンハンスメント」について見てみよう。

ここでは、「間接的エンハンスメント」は、個人の能力や資質を個別に増強するのではなく、状況に応じて何をすべきか適切に判断しうる、そのような能力の向上を意味するものとしよう。前章で論じた「ソクラテスＡＩ」は、道徳的なアイデア、動機、そして道徳的行動が生成されるプロセスを改善することに焦点が当てられている点で、「間接的エンハンスメント」と考えることができる。

というのも、「ソクラテスＡＩ」は、利用者に予め決められた正しい思考や行動を取らせるのではなく、何をするのが最も良いと考えられるかを、自ら判断できるようにするものだからだ。この方法論の醍醐味は、ユーザーに自分の心理的な状態を知らせたり、判断根拠となる事実を指摘したり、あるいは別様な考え方があることを示すことで、ユーザー本人が自分自身を省みる機会を与えることにある。すなわち、「間接的エンハンスメント」は、倫理学の一つの立場である「徳倫理」と親和的なのである。

ウェルフェア主義的アプローチ

直接的であれ間接的であれ、エンハンスメントはどのような考えの下に実践されるべきだろうか。ここでも私の考えを説明するために、私が支持する「ウェルフェア主義的アプローチ（The Modified Welfarist Approach）」について述べておきたい。[1]

このアプローチでは、人びとの「ウェルビーイング（well-being）」を向上させるという目的を軸に、さまざまな技術的介入を認めている。ここに言う「ウェルビーイング」とは、身体的・精神的・社会的に良好な状態にあること、それゆえ「幸福」であることと考えてもらいたい。そうすると、病気の治療はもちろん、日常生活における食生活の改善やマインドフルネスなども、幸福の向上に寄与する限りで「エンハンスメント」と見なせることになる。

一方で、ウェルフェア主義的アプローチでは、人びとに病気や能力の低下が見つかったからといって、そのすべてを改善すべき問題とは捉えない。というのも、何らかの例外的・逸脱的な状態にあるとしても、それによってウェルビーイングが向上するのであれば、その人は有利な（つまり増強された）状態と捉えることができるからだ。

一例を挙げよう。アフリカでは地域によっては、赤血球の中のヘモグロビンに異常をきたす「鎌状赤血球症」の患者が、人口の約10%を占めると言われている。本来、鎌状赤血球症は、生存に不利なので自然淘汰されてもおかしくない。ところが、アフリカではそうなっていないのだ。その理由の一つは、鎌状赤血球症の患者が、マラリアに抵抗力を持つためだと考えられている（マラリア仮説）。マラリアは、熱帯地域に多く発生する致死性の高い感染症であり、マラリア原虫が赤血球内で増殖することで発症する。しかし、鎌状赤血球症の患者の赤血球は壊れやすく、マラリア原虫が増殖できないので、マラリアが発症しにくく、また治りやすいと推測されるのである。[2] マラリアの多い地域では、鎌状赤血球症は、マラリアに抵抗力を持つ点で、ある種の増強された状態と言え、ウェルビーイングを向上させるものとも見ることができるわけだ。

このように、状況によってはある種の能力低下も翻って向上・増強と見なせ、ウェルビーイングに寄与することがある。それは、本書で述べた陪審員の事例でもいえる。陪審員は、被告の情報を意図的に制限されるなど、ある意味で判断能力が低下した状態に置かれる。しかし、偏見に囚われずに役目を遂行することが、社会全体はもちろん、陪審員当人にとっても望まれるのであれば、この状態は当人にとっての最善と考えられるのである。

このように、場合によっては能力を制限した方が理に適うこともある。人間は技術によって能力が強化されれば無条件に幸福（well-being）になるわけではない。人間と技術の関係は、あくまでウェルビーイングを向上しうるか否か、という観点から考えられるべきではないだろうか。実際、いくら能力が増強しても、結果的に幸福から遠《とお》退《の》くようでは意味がない。したがって、ウェルフェア主義的アプローチとは、エンハンスメントを「ウェルビーイングの向上」と定義し、それに寄与する能力の向上・増強のみを承認するという、幸福に対する合理的なアプローチともいえる。

分配的正義への配慮

ところで、「エンハンスメント」という考え方は、しばしば誤解されているように思われる。というのも、エンハンスメントは、第４章でも述べた新自由主義が掲げる「自己責任化」に加担するもの、と見なされがちだからである。つまり、技術的な介入や、薬理学的なドーピングを含め、どのような形態であれ、エンハンスメントは能力を向上・増強した当人だけに裨益すると思われている節がある。このような、個人主義的な理解の仕方は、「私物仮説（Personal Goods Assumption）」と呼ばれる。

私物仮説を支持する者は、エンハンスメントは個人にしか裨益しないと考えるので、能力を向上・増強した人と、していない人の間に格差が生じることを懸念する。この懸念は同時に、社会的に有利な人と、そうでない人の間で能力を向上・増強する機会に格差が生じることを憂慮するものでもある。つまり、エンハンスメントは、社会的に承認されても、個々人の自由に任されても、格差拡大に繋がるだろうというわけである。

しかし、こうした「私物仮説」には反論がある。

第一の反論は、先に述べた個人主義的な理解に対するものだ。例えば、司法試験や医師国家試験を受験するに当たり、認知増強薬による能力の向上・増強が学習を効率化すれば、それは受験者の利益になる。そして資格保有が就職に有利に働けば、それは競争的優位性に寄与したことになる。これは「私物仮説」を支持する要件に見える。しかし、認知能力の向上・増強が受験者に与えた利益や資格保有者に与えた競争優位性は、必ずしもゼロサム状況を生むわけではない。誰かだけが得をし、その分他の誰かが損をするとは限らない。なぜなら、認知能力を高めた医師がより有効な治療薬を開発するのであれば、それは患者のみならず、社会的な利益にもなるからである。[3]

　では、エンハンスメントを享受する機会における、社会的に有利な人と、そうでない人の間での格差という点はどうだろう。認知増強薬による能力の向上・増強に関しては、もともと認知能力の高い人は、そうでない人に比べて効果が薄いことや、[4]あるいは認知能力の高い人には逆効果が生じる可能性を示唆する研究もある。つまり、ある閾値《いきち》を超えた認知能力は向上・増強が難しく、[5]それゆえ、認知能力の既存の格差――つまり遺伝・環境に基づく能力の格差――を縮めても、それを広げたり、知的な超人を生み出したりするものではないのである。要するに、「私物仮説」はさほど有効な見方ではないのだ。

第二の反論は、多くの人びとが能力を向上・増強すれば、大規模な生産性の向上や福利の増加が期待できる、ということである。例えば、前章で述べたように、認知能力やメタ認知能力が向上・増強されれば、個々人の社会的振る舞いはより向社会的・道徳的になり、結果的に他者との共生が促進されるかもしれない。個々人の能力の増強が、社会全体に波及効果を与える可能性があることは、コロナ禍において、私たちはすでに体験しているはずである。個人がウイルスに対して免疫を獲得すれば、他者への感染を減らすという意味で、社会的なメリットになることは、いまさら説明するまでもないだろう。第1章で述べた「One for all, All for one」は、絵空事ではないのだ。

もちろん、「One for all, All for one」を実現するには、ワクチンと同様に、エンハンスメントの適切な分配方法、つまり分配的正義を考える必要がある。それに際しては、分配的正義における「優先主義」という考え方が有用だろう。

まず、前章で述べたソクラテスＡＩは、私たちの道徳性の向上が期待できる技術だが、利用者が一部に限られては、社会全体の効用は限定的なものになるのは言うまでもない。また、先述の通り、認知能力には上限があることが指摘されている。これらを鑑みれば、ソクラテスＡＩなどは、とりわけ経済的な困難を抱える人たちが優先的に利用できるようになることが望まれる。なぜなら、経済的な困窮は、認知的・精神的な能力の低下との関係が示唆されており、[6] また、それは有用な技術の利用を遠ざける原因でもあるからだ。

皮肉なことだが、こうした分配的正義が実現されるためにも、社会全体の認知能力や道徳性向を向上させる必要がある。私益に始終せずに、社会的な便益にも関心を払う必要があることを、私たちは「分かっていてもできない」でいるのだから。ソクラテスＡＩの実現はまだ先のことかもしれないが、来る日のためにも、現にある技術を道徳性の向上に結び付けながら、社会全体の底上げを着々と進めていくことが必要なはずだ。本書の狙いは、その可能性の一つをＱＳやＱＲの中に見出し、またその可能性を広げようとすることであった。

改革的なイデオロギー

本書はここまで、技術を推進する立場（それは本書の立場でもある）と、それを批判する立場の双方を検討してきた。両者の主張には、それぞれ肯定できる点がある。しかし、そうは言っても両者の意見を同時に受け入れることはできない。というのも、技術推進派は、問題の所在を私たち自身に見出し、それを技術で補完しようとするが、技術否定派は、問題の所在を技術に見出し、それを人間が制御することを望んでいるからだ。両者の主張をそのまま合算すると、技術を使用しても、しなくても、問題は解消されないことになってしまう。
これを回避しようとすれば、人間ができること・できないこと、そして技術ができること・できないことを、真正面から詳細に検討する必要がある。

また、次のような問題もある。技術推進派は市場において技術革新が生じることから、起業家を仲間にしようとする。他方、技術否定派は、市場化や新自由主義化を憂慮し、科学技術とビジネスの関係強化に懸念を示して、起業家を敵視するきらいがある。これについても、両者の意見を同時に受け入れることはできない。技術推進派がどのように期待しようとも、市場の自由に任せれば良いわけではなく、また、技術否定派が何を懸念しようとも、科学技術とビジネスの協働は社会に貢献する契機を含んでいるからだ。

これを整合させるには、市場そのものを支持するのではなく、技術の公平な配分を支持し、そのために市場を適切に用いることを考える必要がある。

このような考えは、私から見れば、急進的なイデオロギーなどではなく、むしろ改革的なイデオロギーであり、技術信奉ではなく、技術を用いた社会的改革の必要性を説くものだ。
前章での主張を繰り返せば、技術を人間の能力の代替とすべきではなく、あくまで私たちの補完とすべきである。技術で何もかもが解決するわけではない。しかし、だからといって、技術を放棄したり、敵視したりするべきではないのだ。

高く飛ぶな。しかし、低くも飛ぶな。

その意味で、私は「慎重で開放的なスタンス（a stance of cautious openness）」の立場を採りたい。私たちは制度・政策をより良いものに導きながら、同時に技術によって私たち自身を補完することで、社会とのもっと良い関係を築くことができるはずだから。

あとがき

本書を企画してから上梓するまでに、私が関連するミーティングに費やした時間は23時間43分で、ドライアイを緩和するために室内の加湿に使った水の量はおよそ１７３ℓ、原稿の執筆やチェックの合間にランニングマシンで走った距離は１３６・24㎞になったが、それにもかかわらず増えてしまった体重は３・６㎏であった。

購入した書籍や資料の額は、支出管理アプリによれば、私の大好きなワインをボルドーまで買い付けに行くには、少し足りないくらいにはなった。ワインの購入額が、ボルドーを遥かに通り越してしまったことは、私とアプリだけの秘密である。

動き回ることが少なく、一日の大半をデスクに向かっていること、ストレスからつい間食してしまうこと、そして夜な夜なNetflixを見ながら妻とワインを飲むことが、体重増加の原因なのは先刻承知だ。

しかし、もし合間に走ることもしていなければ、もしアルコールの摂取管理アプリを使っていなければ、もし加湿を怠っていれば、ウエストは2サイズ以上変わり、健康を損ない、眼も開けられず、全体のスケジュールは大きく狂っていたに違いない。

定期的に行動を促すアラームと管理アプリ、それと連動した体重計、最新型のエアコンと空気清浄機、そしてカフェイン、グルタミン、アルギニン、各種アミノ酸などの薬剤と、もちろんワインが、どうにか私を自律させているのであって、だから例えば、これらすべてが共著者だと言われても、私には正直何の違和感もない。

急いで付言すると、これらの〈共著者たち〉が、私の自律性や自由を脅かしたとは思えない。それどころか、少なくても私の経験の範囲では、〈共著者たち〉はむしろ、「私」を共著者にしてくれたのだ。

そんな〈共著者たち〉の貢献を改めて振り返ってみると、その第一は「環境整備」にあったと思う。本書の企画が開始されたのは夏前だったから、奮発して買い換えた最新型のエアコンが急速に暑くなる外界を尻目に、私の執筆環境を常春にしてくれた。閉め切った部屋の中で、インクやら間食の匂いが籠りがちなのを、たちどころに解消してくれる空気清浄機も、私にはなくてはならないものだった。彼らは、なかなかに優秀な存在なのだ。

「何を大げさな」と思う読者がいるかもしれない。しかし、温度や匂いといった環境要因は、実は人間の行動に多大な影響を与えることが分かっている。それによると、高温や不快な臭いは、知らず知らずのうちに、人間に敵対的な解釈や行動を起こさせることがあるという。些細に見える環境の整備も、決して馬鹿にはできないのだ。

だから、本書の中にもしも誰かの悪口を見つけたなら、それはきっと家電の電源の入れ忘れによるものだ……。いやいや、家電が悪いとは言っていない。「ＯＮ」にし忘れたのは「私」であって、「ＯＮにしろ」というアラームを設定し忘れたのも、他ならぬこの「私」なのだから。

本書で好意的に評価した技術との関係は、いま述べた次元に関わることは、再度強調しても良いように思う。

私は、知らないところで作動するシステムを決して悪いとは思わない。けれども、とりわけ他者との関係に影響を及ぼす部分では、少なくとも人間に帰責できるシステムであることが必要だと思っている。本書が「認知」よりも「メタ認知」を重視し、「ナビゲーション」

よりも「ウェイファインディング」を評価するのは、そのためである。
〈共著者たち〉の第二の貢献が、「達成支援」であるのは明らかだ。これには二つの側面があって、一つ目は、目標を上手く達成するために私自身のコンディションを可視化すること、二つ目は、目標達成に向けて行動を促すことだ。

体重やカロリー、睡眠時間の可視化は、一つ目に関する代表例だろう。睡眠の質や量が、判断能力や作業効率に大きな影響を与えることは周知の事実だ。

興味深い研究を一つ挙げれば、裁判では、裁判官の就業日の初日ないしは食事休憩後は、有利な判決を得られる可能性が高いというものがある。短い休憩、前向きな気分、そしてブドウ糖は、精神的資源の補充に大きな影響があるのだろう。
だから、本書の中にもしも何か誤りを見つけたなら、それはきっと慢性的な多忙さと、虚ろな気分と……と言いたいが、このぽっこりしたお腹は、ブドウ糖だけは十分だったことを物語っている。したがって、ここでもまた、その誤りが「私」のせいなのは明らかだ。

さて、二つ目。行動を促すのは、アラーム機能が得意とすることだ。先にも述べた通り、加湿器への給水は、半ばアラーム機能が達成したようなものである。休憩すること、運動すること、家族団らんの時間を取ること、そして何より執筆すること、これらはどれも分かっているが、気づけば時間が無くなっていることが多い。

「分かっているができないこと」の大半は、適切な時間に気づけないことに起因するように思う。無論、気づけばできる、というわけではない。しかし、やろうにも適切な時間に気づかないと、やりようもないのは確かだろう。だから、まず気づく、これが肝心だ。いわく、「千里の道もアラームから」。

行動を促すアラームなどによって、認知タスクを減らす（記憶を外部化し精神的な資源を確保する）のは、目標達成や作業効率のみに資するわけではない。目の前の作業を中断し、段取りすることも遮断し、その時間を別の目的に振り返るためにもそれは機能する。

「達成支援」の達成は、あくまで私たちの幸福の達成であるべきだ。

期日が迫っていようが何だろうが、根を詰めても碌《ろく》なことにはならない。これは経験の教えるところであって、身近な幸せのために時間を使うことに勝るものは何もない、という事実もまた同様だ。

「ピピピッ、ピピピッ、Netflixとワインの時間ですよ」

幸福を達成するにも、期日を割って怒られないためにも、〈共著者たち〉の存在は大きいのである。

ことほど左様に、私の身の回りにある〈共著者たち〉だけでも、健康、家族、仕事、余暇など多方面において多大な貢献をしていることが分かる。私は、これまでにも何度か、馬鹿なままでいさせてくれるシステムではなくて、より賢くしてくれるシステムが必要だと言ってきた。〈共著者たち〉はまさにその端緒だろう。

これから先、〈共著者たち〉がさらに仲間を増やし、進化を遂げるのは間違いない。本書で言及した「モラルアドバイザー」は、もはや絵空事とは思えない。それが実装に至るにはまだ時間を要するだろうが、第2章で紹介したCM中のモラルアドバイザー（渡辺謙）のように、「名刺に負けるな！」なんてことを言ってくれる日は、そう遠くないかもしれない。

＊　＊　＊

本書では、セルフトラッキング技術に関する各種の実践と、それにまつわる批判的・肯定的な議論の双方を詳しく吟味することが目的だった。この目的は、おおむね果たされたのではないかと思う。少なくとも輪郭は描けたはずだ。

自己管理アプリが広範に普及し、さまざまな目的で活用されている現状に比べ、それに関する議論が（特に日本語では）案外少ないことに気づいたのが執筆動機の一つになった。著者である私が、人間の幸福を増進させる技術や実践、つまりエンハンスメントに多大な関心を寄せていることも、本書が生まれる背景になっている。本書で、セルフトラッキング技術がエンハンスメントとの関係でも考察されるのは、これが理由である。

本書の全体は、ここ数年の間に、科学社会学会、日本社会学会、関東社会学会、社会情報学会などで報告した内容と、それを基に著したいくつかの論文や記事が下敷きになっている。また、本書が「信用スコアの受容に関する社会学的研究（JSPS科研費JP20H01582）」の成果の一環であることも明記しておきたい。このプロジェクトの推進にあたって、アプリ利用の実態や動機に関する先行研究を網羅的に調査したことが、本書には多分に反映されている。先述の通り、日本語で書かれた研究が少ないことを知り得たのも、このプロジェクトの中でのことである。

本書が世に出るにあたっては、多くの方々の助力があった。
プロジェクトの研究協力者である塚越健司氏は、資料の整序において多大な貢献をしてくれた。高橋恒星氏には、編集において大いにお世話になった。科研費のプロジェクトメンバーをはじめ、学会等でコメントをくださった先生方にも、インタビューに応じてくださった技術者の方々にも、大きな刺激を受けた。ご助力を賜ったすべての方へ、この場を借りて感謝の意を伝えたい。

そして最後に、妻へ。
私にとっての掛け替えのない「モラルアドバイザー」は、他ならぬ貴女です。
ありがとう。

二〇二二年　二月

堀内進之介

Journal of Human Genetics, 77 (2), 171-192.
3 Kamm, F. M. (2005). Is there a problem with enhancement? *The American Journal of Bioethics, 5* (3), 5-14. doi:10.1080/15265160590945101
4 Husain, M., & Mehta, M. A. (2011). Cognitive enhancement by drugs in health and disease. *Trends in Cognitive Sciences, 15* (1), 28-36. doi:10.1016/j.tics.2010.11.002
5 Müller, U., Steffenhagen, N., Regenthal, R., & Bublak, P. (2004). Effects of modafinil on working memory processes in humans. *Psychopharmacology, 177* (1-2), 161-169. doi:10.1007/s00213-004-1926-3
6 Mani, A., Mullainathan, S., Shafir, E., & Zhao, J. (2013). Poverty impedes cognitive function. *Science, 341* (6149), 976-980. doi:10.1126/science.1238041

18 Haslanger, S. (2015). Distinguished lecture: Social structure, narrative and explanation. *Canadian Journal of Philosophy, 45* (1), 1-15. doi:10.1080/00455091.2015.1019176

19 Alexander, M. (2012). *The new Jim Crow: Mass incarceration in the age of Colorblindness.* The New Press.

20 Kleinplatz, P. J. (2017). An existential-experiential approach to sex therapy. *The Wiley Handbook of Sex Therapy*, 218-230. doi:10.1002/9781118510384.ch14

21 NBC News. The couple that pays each other to put kids to bed. (2014, August 4). Retrieved from https://www.nbcnews.com/business/consumer/couple-pays-each-other-put-kids-bed-n13021

22 DKB. (2022, February 15). Google search is dying. Retrieved from https://dkb.io/post/google-search-is-dying

23 The Bristol Approach. (2018, March). What is citizen sensing? Retrieved from https://www.bristolapproach.org/what-is-citizen-sensing/

24 Golledge, R., & Garling, T. (2008). Cognitive maps and urban travel. In D. A. Hensher, K. J. Button, K. E. Haynes, & P. R. Stopher (Eds.), Handbook of transport geography and spatial systems (3rd ed., pp. 501-512). Emerald: Bingley.

25 Gramann, K., Hoepner, P., & Karrer-Gauss, K. (2017). Modified navigation instructions for spatial navigation assistance systems lead to incidental spatial learning. *Frontiers in Psychology, 8.* doi:10.3389/fpsyg.2017.00193

第6章

1 水谷英夫. (2013). *感情労働とは何か*. 信山社.

2 Lara, F. (2021). Why a virtual assistant for moral enhancement when we could have a Socrates? *Science and Engineering Ethics, 27* (4). doi:10.1007/s11948-021-00318-5

3 Lara, F. (2021). Why a virtual assistant for moral enhancement when we could have a Socrates? *Science and Engineering Ethics, 27* (4). doi:10.1007/s11948-021-00318-5

4 ピーター＝ポール・フェルベーク. (2015). *技術の道徳化：事物の道徳性を理解し設計する*. 法政大学出版局.

5 前掲書

最終章

1 (P.118-119) Gyngell, C., & Selgelid, M. J. (2016). Human Enhancement: Conceptual Clarity and Moral Significance. In Coady, T., Sanyal, S., & Giubilini, A. (2016). *The ethics of human enhancement: Understanding the debate.* Oxford University Press.

2 Kwiatkowski, D. P. (2005). How malaria has affected the human genome and what human genetics can teach us about malaria. The American

第5章

1　（P.124）ピーター＝ポール・フェルベーク. (2015). *技術の道徳化：事物の道徳性を理解し設計する*. 法政大学出版局.

2　（P.128）前掲書

3　（Kindle 位置 No.1463）アリストテレス. (2015). *ニコマコス倫理学*. 光文社.

4　永守伸年、(2016).「知的障害者の自律と介助者との信頼」『倫理学研究』、46, 97-108 頁.
（https://www.jstage.jst.go.jp/article/rinrigakukenkyu/46/0/46_97/_pdf/-char/ja）

5　鎌田晋明. (2022, February 7). 自立は、依存先を増やすこと　希望は、絶望を分かち合うこと. Retrieved from https://www.tokyo-jinken.or.jp/site/tokyojinken/tj-56-interview.html

6　永田豊志. (2014, August 6). 僕らは確率の世界に生きて、確率の世界で死ぬ. Retrieved from https://www.itmedia.co.jp/bizid/articles/1408/06/news011.html

7　田村正博. (2019, September 4).「犯罪は増えていて凶悪化している」という誤解. Retrieved from https://www.kyoto-su.ac.jp/faculty/ju/2019_03ju_kyoin_txt.html

8　讀賣新聞オンライン. (2022, February 10).「体感治安」悪化　社会の疲弊が背景にあるのか. Retrieved from https://www.yomiuri.co.jp/editorial/20220209-OYT1T50322/

9　Armor, D. A.：The illusion of objectivity: A bias in the perception of freedom from bias., ProQuest Dissertations Publishing, 1999

10　Pronin, E. (2007). Perception and misperception of bias in human judgment. *Trends in Cognitive Sciences, 11* (1), 37-43. doi:10.1016/j.tics.2006.11.001

11　Ahlstrom-Vij, K. (2013). *Epistemic paternalism: A defence.* Palgrave Macmillan.

12　Wilson, T. D., Centerbar, D. B., & Brekke, N. (2002). Mental contamination and the Debiasing problem. *Heuristics and Biases*, 185-200. doi:10.1017/cbo9780511808098.012

13　セネカ. (2008). *怒りについて他二篇*. 岩波書店.

14　Research and Markets. (2022, February). Clinical decision support systems market - Growth, trends, COVID-19 impact, and forecasts (2022 - 2027). Retrieved from https://www.researchandmarkets.com/reports/4591745/clinical-decision-support-systems-market

15　Axtell, G., & Bernal, A. (2020). *Epistemic paternalism: Conceptions, justifications and implications.* Rowman & Littlefield Publishers.

16　Ahlstrom-Vij, Kristoffer. 2013. *Epistemic Paternalism: A Defence.* New York: Palgrave Macmillan.

17　Madva, A. (2016). A plea for anti-anti-Individualism: How Oversimple psychology misleads social policy. *Ergo, an Open Access Journal of Philosophy, 3* (20201214). doi:10.3998/ergo.12405314.0003.027

19 CHARLES ROLLET. (2018, June 26). 中国で浸透する「信用スコア」の活用、その笑えない実態. Retrieved from https://wired.jp/2018/06/26/china-social-credit/

20 Marlow Stern. (2016, October 27). 'Black mirror' creator Charlie Brooker on China's 'Social credit' system and the rise of Trump. Retrieved from https://www.thedailybeast.com/black-mirror-creator-charlie-brooker-on-chinas-social-credit-system-and-the-rise-of-trump

21 厚生労働省『ボランティアポイント制度導入・運用の手引き』(https://www.mhlw.go.jp/content/000761589.pdf)

22 伊東岳彦, & 上田麻衣. (2020, May 27). 地域ポイント制度を導入・継続するカギは、自治体の負担がない仕組みづくりにあり. Retrieved from https://www.jt-tsushin.jp/interview/jt24_groovearth/

23 Danaher, J., Nyholm, S., & Earp, B. D. (2018). The quantified relationship. *The American Journal of Bioethics, 18* (2), 3-19. doi:10.1080/15265161.2017.1409823

24 Lupton, D. (2016). The diverse domains of quantified selves: Self-tracking modes and dataveillance. *Economy and Society, 45* (1), 101-122. doi:10.1080/03085147.2016.1143726

25 Levy, K. E. (2019). Intimate Surveillance. *Idaho Law Review, 51* (3), 679-693.
(https://digitalcommons.law.uidaho.edu/cgi/viewcontent.cgi?article=1095&context=idaho-law-review)

26 (P.689) Levy, K. E. (2019). Intimate Surveillance. *Idaho Law Review, 51* (3), 679-693.
(https://digitalcommons.law.uidaho.edu/cgi/viewcontent.cgi?article=1095&context=idaho-law-review)

27 Neilson, S. (2013, August 8). When a relationship becomes a game. Retrieved from https://www.theatlantic.com/health/archive/2013/08/when-a-relationship-becomes-a-game/278459/

28 日刊サイゾー. (2017, March 18). IoT 時代の恐怖……高性能バイブで"膣内データ"がダダ漏れに!?. Retrieved from https://www.cyzo.com/2017/03/post_31957_entry.html

29 Kashmir Hill. (2020, August 21). 米テック記者が「GAFA 断ち」生活をしてみたら. Retrieved from https://courrier.jp/news/archives/209698/

30 Markowetz, A., Błaszkiewicz, K., Montag, C., Switala, C., & Schlaepfer, T. E. (2014). Psycho-informatics: Big data shaping modern psychometrics. *Medical Hypotheses, 82* (4), 405-411. doi:10.1016/j.mehy.2013.11.030

31 Blue, V. (2012, March 30). Stalker app Girls Around Me hunts women via Facebook, Foursquare. Retrieved from https://www.zdnet.com/article/stalker-app-girls-around-me-hunts-women-via-facebook-foursquare/

32 Gillett, A. J., & Heersmink, R. (2019). How navigation systems transform epistemic virtues: Knowledge, issues and solutions. *Cognitive Systems Research, 56*, 36-49. doi:10.1016/j.cogsys.2019.03.004

8　讀賣新聞オンライン.（2021, April 23）.【独自】健康アプリ、データ円滑移行へ仕組み検討. Retrieved from https://www.yomiuri.co.jp/economy/20210423-OYT1T50108/
9　Savulescu, J., & Persson, I.（2012）. Moral enhancement, freedom, and the god machine. *Monist, 95*（3）, 399-421. doi:10.5840/monist201295321

第4章

1　総務省　令和2年版　情報通信白書
2　モバイル社会研究所.（2021, April 14）.【スマホ比率・端末所有】スマートフォン比率92.8%に：2010年は約4%　ここ10年でいっきに普及（2021年4月14日）. Retrieved from https://www.moba-ken.jp/project/others/ownership_index.html
3　Statista.（2022, February 25）. Time spent on average on a smartphone in the U.S. 2021. Retrieved from https://www.statista.com/statistics/1224510/time-spent-per-day-on-smartphone-us/
4　（P.9）JUSTIA「Riley v. California, 573 U.S. 373（2014）」（https://supreme.justia.com/cases/federal/us/573/13-132/case.pdf）
5　Whitehead, A. N., & 晁・大出.（1983）.*数学入門*. 松籟社.
6　プラトン.（1967）.*パイドロス*. 岩波書店.
7　（P.134-135）前掲書
8　（P.381）ショシャナ・ズボフ.（2021）.*監視資本主義：人類の未来を賭けた闘い*. 東洋経済新報社.
9　（P.240）ウェンディ・ブラウン.（2017）.*いかにして民主主義は失われていくのか：新自由主義の見えざる攻撃*. みすず書房.
10　前掲書
11　Lupton, D.（2016）. The diverse domains of quantified selves: Self-tracking modes and dataveillance. *Economy and Society, 45*（1）, 101-122. doi:10.1080/03085147.2016.1143726
12　碇陽子.（2021, September 1）. 肥満をなくすことと肥満差別をなくすことは大きく意味が違う. Retrieved from https://www.meiji.net/life/vol346_yoko-ikari/2
13　碇陽子.（2019, April 23）.「太ったままでいる権利を守る！」米国で起きた肥満を巡る闘争の軌跡. Retrieved from https://gendai.ismedia.jp/articles/-/64159
14　ガートビースタ.（2016）.*よい教育とはなにか：倫理・政治・民主主義*. 白澤社.
15　（P.12）前掲書
16　Facer, K., & Selwyn, N.（2013）. Towards a sociology of education and technology. *Contemporary Debates in the Sociology of Education*, 218-235. doi:10.1057/9781137269881_13
17　神代健彦.（2020）.*「生存競争」教育への反抗*. 集英社.
18　WORLD ASSOCIATION FOR SEXUAL HEALTH『性の権利宣言』（https://worldsexualhealth.net/wp-content/uploads/2014/10/DSR-Japanese.pdf）

11 Satish Misra, MD. (2015, September 17). More than 165,000 mobile health apps now available. Retrieved from https://www.imedicalapps.com/2015/09/ims-health-apps-report/

12 アウンコンサルティング株式会社. (2021, May 25). 世界 40 カ国、主要 OS・機種シェア状況【2021 年 5 月】～多言語 Web プロモーションにシェア状況データを活用する～. Retrieved from https://www.auncon.co.jp/corporate/2021/0525.html

13 EMILY A. VOGELS. (2020, January 9). About one-in-five Americans use a smart watch or fitness tracker. Retrieved from https://www.pewresearch.org/fact-tank/2020/01/09/about-one-in-five-americans-use-a-smart-watch-or-fitness-tracker/

14 Quantified Self: Self Knowledge Through Numbers（www.quantifiedself.com/）

15 Ruckenstein, M. (2014). Visualized and interacted life: Personal analytics and engagements with data doubles. *Societies, 4* (1), 68-84.doi:10.3390/soc4010068

16 Catlaw, T. J., & Sandberg, B. (2018). The quantified self and the evolution of neoliberal self-government: An exploratory qualitative study. *Administrative Theory & Praxis, 40* (1), 3-22. doi:10.1080/10841806.2017.1420743

第 3 章

1 Meredith TerHaar. (2021, July 5). Norton shores woman credits Apple watch for detecting heart condition. Retrieved from https://www.wzzm13.com/article/news/health/norton-shores-woman-credits-apple-watch-for-detecting-heart-condition/69-6b2db4b5-2d3f-47f0-a069-2d0961bbec4b

2 Boka En and Mercedes Pöll: Are you (self-) tracking? Risks, norms and optimisation in self-quantifying practices, Graduate Journal of Social Science, 12 (2), pp. 37-57, 2016

3 Danaher, J., Nyholm, S., & Earp, B. D. (2018). The quantified relationship. *The American Journal of Bioethics, 18* (2), 3-19. doi:10.1080/15265161.2017.1409823

4 kGOAL（https://www.kgoal.com/）

5 VOGUE JAPAN. (2019, July 23). 市場規模 4 兆円!?「セクシュアル・ウェルネス」産業の急伸。. Retrieved from https://www.vogue.co.jp/beauty/worldbeauty/2019-07-23/how-v-care-switched-from-taboo/cnihub

6 Marcia Wade Talbert. (2013, February 11). Tech startup of the week: Kahnoodle, an app to keep love alive. Retrieved from https://www.blackenterprise.com/tech-startup-of-the-week-kahnoodle-an-app-to-keep-love-alive/

7 Neilson, S. (2013, August 8). When a relationship becomes a game. Retrieved from https://www.theatlantic.com/health/archive/2013/08/when-a-relationship-becomes-a-game/278459/

themselves-from-the-vaccinated
14 川上憲人『日本の「健康社会格差」の実態を知ろう』（http://mental.m.u-tokyo.ac.jp/sdh/pdf/messagetopeople.pdf）
15 リチャード・セイラー, & キャス・サンスティーン. (2009). *実践　行動経済学：健康、富、幸福への聡明な選択*. 日経 BP.
16 朝日新聞国際報道部. (2018, June 1).【世界のタバコ箱】警告画像「ヘビー級」の国々　もはやホラー…. Retrieved from https://withnews.jp/article/f0180601000qq000000000000000W06z10101qq000017388A
17 SBST（https://sbst.gov/）
18 Behavioral Insights Team（https://www.bi.team/）
19 Behavioural Insights Network Netherlands（https://binnl.nl/home+-+en/default.aspx）
20 Self-Regulation Lab（https://www.uu.nl/en/research/self-regulation-lab）
21 World Bank：Mind, society, and behavior. World Bank Publications, 2014

第2章

1 （P.1）アラスデアマッキンタイア. (2018). *依存的な理性的動物：ヒトにはなぜ徳が必要か*. 法政大学出版局.
2 J.R.R. トールキン. (1992). *新装版指輪物語 1 旅の仲間上*. 評論社.
3 （P.103）カーペンター, ハンフリー. (1982). *J.R.R. トールキン：或る伝記*. 評論社.
4 Porter. M. E. and Heppelmann. J. E: How Smart Connected products are Transforming Competition, Harvard Business Review, pp.64-88, 2014
5 この名付けは、下記を参考にした。
植原亮. (2014). 認識的パターナリズムへの道は開かれたか――現代知性改善論序説のための断片. 哲学論叢, 41, 24-34.
6 フランクリン. (2004). *フランクリン自伝*. 中央公論新社.
7 西村千秋「バイオフィードバックの歴史と今後」『バイオフィードバック研究』45 巻第 2 号、2018 年 pp.59-66.（https://www.jstage.jst.go.jp/article/jjbf/45/2/45_59/_article/-char/ja）
8 Vansteensel, M. J., Pels, E. G., Bleichner, M. G., Branco, M. P., Denison, T., Freudenburg, Z. V., … Ramsey, N. F. (2016). Fully implanted brain-computer interface in a locked-in patient with ALS. *New England Journal of Medicine, 375*（21）, 2060-2066. doi:10.1056/nejmoa1608085（https://www.nejm.org/doi/full/10.1056/nejmoa1608085）
9 Martin, S., Schneider, B., Heinemann, L., Lodwig, V., Kurth, H., Kolb, H., & Scherbaum, W.（2005）. Self-monitoring of blood glucose in type 2 diabetes and long-term outcome: An epidemiological cohort study. *Diabetologia, 49*（2）, 271-278. doi:10.1007/s00125-005-0083-5
10 SUSANNAH FOX, MAEVE DUGGAN, & KRISTEN PURCELL.（2013, June 20）. Part 3: Tracking for health. Retrieved from https://www.pewresearch.org/internet/2013/06/20/part-3-tracking-for-health/

参考文献

第1章

1 Mindfulness meditation apps market report, share & size, analysis 2021-2027. (2021, September 7).
Retrieved from https://univdatos.com/report/mindfulness-meditation-apps-market/

2 厚生労働省. (2020, December). 令和元年国民健康・栄養調査報告. Retrieved from https://www.mhlw.go.jp/stf/seisakunitsuite/bunya/kenkou_iryou/kenkou/eiyou/r1-houkoku_00002.html

3 Nezih GUNER, Yuliya KULIKOVA, & Joan LLULL. (2015, March 16).「結婚によって人はもっと健康になれるか？」. Retrieved from https://www.rieti.go.jp/jp/special/p_a_w/050.html

4 David Ludden Ph.D. (2020, June 15). Nagging your spouse to death. Retrieved from https://www.psychologytoday.com/intl/blog/talking-apes/202006/nagging-your-spouse-death

5 相模ゴム工業株式会社. (2018). ニッポンのセックス2018年版. Retrieved from https://www.sagami-gomu.co.jp/project/nipponnosex2018/02_partner_sex.html

6 森川友義. (2018, May 6). 7割が不倫者なのに許さないのはおかしい 本能を社会制度で縛るのはもう限界. Retrieved from https://president.jp/articles/-/24899?page=1

7 Trivers, R. (1972). *Parental investment and sexual selection.* In Campbell, B. G. (1972). *Sexual selection and the descent of man, 1871-1971.* Heinemann Educational Publishers.

8 Eastwick, P. W. (2009). Beyond the Pleistocene: Using phylogeny and constraint to inform the evolutionary psychology of human mating. *Psychological Bulletin, 135* (5), 794-821. doi:10.1037/a0016845

9 厚生労働省. (2019). 令和元年（2019）人口動態統計の年間推計. Retrieved from https://www.mhlw.go.jp/toukei/saikin/hw/jinkou/suikei19/index.html

10 Paul R. Amato：The Consequences of Divorce for Adults and Children, Journal of Marriage and Family, 62 (4), pp.1269-1287, 2000

11 Spaht, K. (1998). For the sake of the children: Recapturing the meaning of marriage. *Notre Dame Law Review,* 73 (5), 1547-1579.

12 Amato, P. R., & Booth, A. (2000). *A generation at risk.* Harvard University Press.

13 Lamoureux, M. (2021, May 11). Anti-maskers ready to start masking—to protect themselves from the vaccinated. Retrieved from https://www.vice.com/en/article/88nnwg/anti-maskers-ready-to-start-maskingto-protect-

堀内進之介（ほりうちしんのすけ）

博士（社会学）。専門は、政治社会学・応用倫理学。東京都立大学客員研究員、Screenless Media Lab. 所長、ほか。単著に『善意という暴力』（幻冬舎新書）、『人工知能時代を〈善く生きる〉技術』、『感情で釣られる人々』（ともに集英社新書）、『知と情意の政治学』（教育評論社）、共著に『AIアシスタントのコア・コンセプト』（ビー・エヌ・エヌ新社）、『人生を危険にさらせ！』（幻冬舎文庫）ほか多数。翻訳書に『アメコミヒーローの倫理学』（PARCO出版）、『魂を統治する』（以文社）がある。

データ管理《かんり》は私《わたし》たちを幸福《こうふく》にするか？

自己追跡《セルフトラッキング》の倫理学《りんりがく》

2022年6月30日初版1刷発行

著　者 —— 堀内進之介
発行者 —— 三宅貴久
装　幀 —— アラン・チャン
印刷所 —— 萩原印刷
製本所 —— 国宝社
発行所 —— 株式会社光文社
東京都文京区音羽1-16-6（〒112-8011）
https://www.kobunsha.com/
電　話 —— 編集部03（5395）8289　書籍販売部03（5395）8116
業務部03（5395）8125
メール —— sinsyo@kobunsha.com

ISBN 978-4-334-04579-1

光文社新書

1193

写真はわからない

撮る・読む・伝える——「体験的」写真論

小林紀晴

「撮る者」は日々どんなことを考え、どう行動して写真を生み出しているのか。「誰もが撮影者」である時代に考えたい「いい写真」とは？　初心者からプロまでに贈る、著者初の写真論！

978-4-334-04601-9

1194

物理学の野望

「万物の理論」を探し求めて

冨島佑允

物理学は何を積み重ねてきたのか。その目的は何か。難しい公式や計算は一旦隅に置いといて、まずはその歴史を知ろう。読めば途端に物理学が面白くなる、２５００年の物理学史！

978-4-334-04602-6

1195

沖縄50年の憂鬱

新検証・対米返還交渉

河原仁志

二〇二二年五月は沖縄が日本に返還されて五十年。当時の交渉は、日本にとって帳尻の合うものだったのか——。ジャーナリストが新史料を交えて考察する、「いびつな日本」の原点。

978-4-334-04603-3

1196

一軍監督の仕事

育った彼らを勝たせたい

髙津臣吾

勝ち続けるための「スワローズ・ウェイ」、「育てながら勝つ」チームマネジメント、「絶対大丈夫」に代表される言葉力——2年連続最下位からのペナント制覇と日本一達成の裏側を記す。

978-4-334-04604-0

1197

日本の生命科学はなぜ周回遅れとなったのか

国際的筋肉学者の回想と遺言

杉晴夫

他人の成功を妬む国民性、教授の利己性と後継者の矮小化、教授の言いなりの政府の見識欠如、記者や編集者の著しい劣化…筋収縮研究の最前線での60年の経験から綴る課題と提言。

978-4-334-04605-7

1198
幻想の都　鎌倉
都市としての歴史をたどる

高橋慎一朗

「古都鎌倉」は、奈良・京都とも違い、日本人の記憶と想像によってつくられた都市だった。源氏以前の時代から現代までの通史をたどることで浮かび上がる鎌倉の実像と魅力。

978-4-334-04607-1

1199
イスラムがヨーロッパ世界を創造した
歴史に探る「共存の道」

宮田律

ヨーロッパの中世から近代にかけての発展は、イスラム文明抜きに語ることはできない——。私たちが現代社会を正しく理解するために必要な「視座」とは？「意外な史実」を学び、知る。

978-4-334-04608-8

1200
孤独なバッタが群れるとき
『バッタを倒しにアフリカへ』エピソード1

前野 ウルド 浩太郎

21万部突破の『バッタを倒しにアフリカへ』の前日譚である名著が新書で登場！ バッタに関する研究成果とともに、若き研究者の苦悩と挫折、成長がユーモア溢れる文体で綴られる。

978-4-334-04609-5

1201
依存症と回復、そして資本主義
暴走する社会で〈希望のステップ〉を踏み続ける

中村英代

「意志の弱さによる病」ととらえられがちな依存症を、現代資本主義社会の必然であると著者は説く。当事者コミュニティにおける回復実践をみながら、人類の新たな共生のあり方を示す。

978-4-334-04610-1

1202
なぜ日本からＧＡＦＡは生まれないのか

山根節　牟田陽子

日本経済が停滞する一方で、絶対的な力をつけたＧＡＦＡ。その時価総額は日本の上場企業全社の合計を超える。なぜここまで差がついたのか。その理由をＧＡＦＡの歩みに探る!!

978-4-334-04611-8

光文社新書

1203
金融ＤＸ、銀行は生き残れるのか
遠藤正之

いま銀行ＩＴで何が起きているのか。銀行は、この社会に、この時代に本当に必要なのか。メガバンクで三十二年半勤務した著者が現状を分析し、日本の金融サービスの未来を考える。

978-4-334-04612-5

1204
ＧＨＱは日本人の戦争観を変えたか
「ウォー・ギルト」をめぐる攻防
賀茂道子

ＧＨＱ民間情報教育局（ＣＩＥ）の政策やそれに対する日本側の抵抗・協力の動きを検証し、占領期以降の日本人は「戦争の罪」をどのように理解していったのか、日米の心理を明らかにする。

978-4-334-04613-2

1205
緑内障の真実
最高の眼科医が「謎と最新治療」に迫る
深作秀春

失明原因第一位の緑内障。眼圧だけでなく視神経への血流不足や圧迫等も原因とされる。世界最高レベルの眼科外科医が、正しい知識とあきらめないための最新の治療法を丁寧に解説。

978-4-334-04614-9

1206
無国籍と複数国籍
あなたは「ナニジン」ですか？
陳天璽

自ら「無国籍者」として人生の大半を過ごしてきた著者が当事者に焦点をあて、国・国籍・国境を問い直す。トランスナショナルな時代に考えたい「人類社会がこれから向かうべき道」。

978-4-334-04615-6

1207
データ管理は私たちを幸福にするか？
自己追跡《セルフトラッキング》の倫理学
堀内進之介

スマホなどを通じた利己的な自己管理はどのように利他や社会へと接続可能か。リスクを検討しつつも「人文的な」批判に終始せず、慎重で開放的なスタンスから改革を提言する。

978-4-334-04579-1